HEBE

HEBE
A BIOGRAFIA

Artur Xexéo

7ª edição

RIO DE JANEIRO | 2018

CIP-BRASIL. CATALOGAÇÃO NA PUBLICAÇÃO
SINDICATO NACIONAL DOS EDITORES DE LIVROS, RJ

X29h
7ªed.
    Xexéo, Artur
        Hebe: a biografia / Artur Xexéo. – 7ª ed. – Rio de Janeiro: BestSeller, 2018.
        il.

    ISBN: 978-85-7684-950-6

        1. Camargo, Hebe, 1929-2012. 2. Apresentadores (Teatro, televisão, etc.) – Brasil – Biografia.. 3. Radiodifusão – Brasil. I. Título.

17-40355
                                              CDD: 926.415
                                              CDU: 929:641.5

Texto revisado segundo o novo Acordo Ortográfico da Língua Portuguesa.
HEBE: A BIOGRAFIA
Copyright © 2017 by HF Produções e Artur Xexéo

Layout de capa: Guilherme Peres
Imagem de capa: Petronio Cinque
Editoração eletrônica: Abreu's System

Todos os direitos reservados. Proibida a reprodução,
no todo ou em parte, sem autorização prévia por escrito da editora,
sejam quais forem os meios empregados.

Todos os esforços foram feitos para localizar os fotógrafos das imagens reproduzias neste livro. A editora compromete-se a dar os devidos créditos numa próxima edição, caso os autores as reconheçam e possam provar sua autoria. Nossa intenção é divulgar o material iconográfico de maneira a ilustrar as ideias aqui publicadas, sem qualquer intuito de violar direitos de terceiros.

Direitos exclusivos de publicação em língua portuguesa para o mundo
adquiridos pela
Editora Best Seller Ltda.
Rua Argentina, 171, parte, São Cristóvão
Rio de Janeiro, RJ – 20921-380
que se reserva a propriedade literária desta tradução

Impresso no Brasil

ISBN 978-85-7684-950-6

Seja um leitor preferencial Record.
Cadastre-se e receba informações sobre nossos lançamentos e nossas promoções.

Atendimento e venda direta ao leitor
mdireto@record.com.br ou (21) 2585-2002

SUMÁRIO

PREFÁCIO: Hebe e eu.. 7
CAPÍTULO 1: "Vocês vão me massacrar" 13
CAPÍTULO 2: "Uma família muito pobre, mas alegre"............................. 28
CAPÍTULO 3: "Foi um amor que parecia um inferno" 45
CAPÍTULO 4: "Adeus, meu amor, Serafim"... 63
CAPÍTULO 5: "Às vezes, me meto em cada aperto..." 80
CAPÍTULO 6: "Meu sucesso crescia a cada dia"..................................... 98
CAPÍTULO 7: "E o Agnaldo?" 117
CAPÍTULO 8: "Nós queremos e podemos"... 127
CAPÍTULO 9: "Se tocarem uma música de que eu goste..." 145
CAPÍTULO 10: "Eu estava ficando Amélia demais" 160
CAPÍTULO 11: "Queridinho, eu tenho que descer uma escada" 176
CAPÍTULO 12: "Precisamos de vergonha na cara".................................... 192
CAPÍTULO 13: "Xuxa, eu sou você amanhã".. 205
CAPÍTULO 14: "Nunca consegui ganhar tanto dinheiro"............................ 218
CAPÍTULO 15: "É difícil ter apenas um coração"....................................... 232

POSFÁCIO: Eu e Hebe 253

Agradecimentos 259
Mensagem de Marcello Camargo a sua mãe... 261
Mensagem de Claudio Pessutti a sua tia Hebe.. 263

PREFÁCIO

HEBE E EU

Minha avó materna, dona Candoca, foi quem me apresentou a Hebe Camargo. Era ela, a minha avó, quem controlava o seletor de canais da moderníssima TV importada de 18 polegadas que tinha lugar de destaque na sala de visitas do apartamento em Copacabana. E era para lá que eu ia, quase todo dia, depois da aula. Eram três os canais. No canal 6, a TV Tupi, parte da família gostava de assistir ao *Repórter Esso* e ao *Grande Teatro* de Sergio Britto. O canal 13, da TV Rio, exibia meus programas favoritos, quase todos shows humorísticos, como *Noites Cariocas* e *O Riso é o Limite*. Ao 9, a TV Continental, ninguém assistia. Quer dizer, quase ninguém. Pelo menos uma vez por semana, minha avó sintonizava o menosprezado canal 9. Era quando ia ao ar o programa da Hebe Camargo.

Não era difícil entender por que ela gostava tanto da Hebe. Dona Candoca era leitora assídua da *Revista do Rádio*, mas rejeitava os cantores populares, que considerava vulgares. Nada de Marlene ou Emilinha Borba, ou qualquer outra cantora que fosse presença constante na Rádio Nacional, celeiro de artistas que mobilizavam fã-clubes. Na Nacional, sua única concessão eram as novelas. Ouvia todas. Dona Candoca era uma sonhadora. E Hebe Camargo cumpria as exigências que ela impunha para quem considerava uma boa cantora. Elegante, refinada e romântica, cantava contracenando com um botão de rosa vermelho. Não sei por que eu achava que a rosa era vermelha. Afinal, a TV era em preto e branco.

Eu me lembro de um Natal em que os netos fizeram uma vaquinha para comprar um presente para dona Candoca. O que ela mais gostaria de ganhar? Um disco da Hebe, é claro. Entregue e desembrulhado o presente, uma das músicas do LP logo se destacou no repertório: "Quem é?", de Osmar Navarro e Oldemar Magalhães.

> *Quem é que lhe cobre de beijos*
> *Satisfaz seus desejos*
> *E que muito lhe quer*
> *Quem é?*

Durante muito tempo, a Hebe cantando "Quem é?" ocupou o primeiro lugar no *hit parade* daquela casa. Minha avó adorava. E, agora, confesso: eu também.

Não muito depois daquele Natal, me mudei do Rio com meus pais e descobri que a TV podia oferecer mais opções que os três canais cariocas. Em São Paulo, eram cinco as estações. Eu via o *Sítio do Picapau Amarelo* na Cultura, o programa da Bibi Ferreira na Excelsior, o *Grande Show União* na Record, os

PREFÁCIO

teleteatros do *TV de Vanguarda* e do *TV de Comédia* na Tupi. Além disso, quase todo dia tinha algum programa da Hebe na TV Paulista. Ela era uma estrela absoluta em São Paulo. Era difícil, no horário nobre, girar o seletor de canais e não esbarrar em algum show apresentado por ela. Descobri um jeito de matar as saudades da televisão carioca, do Rio e da minha avó: assistindo aos programas de Hebe na TV Paulista.

Nós ainda morávamos na capital paulista quando Hebe se casou e largou a carreira. Foi uma comoção, refletida nas muitas páginas de jornais e revistas que cobriram a cerimônia de casamento com Décio Capuano, o nascimento do filho do casal, Marcello, o cotidiano de dona de casa que ela abraçava e as muitas especulações sobre sua volta à vida artística.

Só vi alvoroço maior quando Hebe voltou de verdade e estreou na TV Record. Antes de a Globo lançar o *Fantástico*, era *Hebe* o programa que dominava o horário nobre aos domingos. O sofá no palco do Teatro Record no qual a mais querida apresentadora do Brasil recebia seus convidados virou uma instituição nacional. Ninguém tinha prestígio suficiente neste país se não se sentasse ali para ser entrevistado. O programa na Record durou oito anos, e, depois dele, Hebe afastou-se de novo da televisão.

Nesse período, eu voltei para o Rio, formei-me em jornalismo e deixei Hebe de lado. Até receber, como repórter da sucursal carioca da revista *Veja*, a pauta que me reaproximaria dela: cobrir sua estreia na TV Bandeirantes. Hebe retornava à televisão mais uma vez, e eu fui enviado para São Paulo a fim de entrevistá-la — além de assistir ao primeiro programa na nova emissora, naturalmente. Fui recebido na famosa casa do Morumbi onde ela morava com o segundo marido, o empresário Lélio Ravagnani.

Me senti honrado. Não era qualquer um que se sentava no sofá de Hebe — e era o sofá da sua sala de estar, não uma peça de cenografia! Mas, acredite, quem parecia honrada era ela. E a estrela não entendia por que a *Veja*, "uma revista séria", estava interessada no seu regresso à TV. "Isso é assunto?", me perguntou. "Claro que é", respondi. "Você é a Hebe Camargo."

Depois disso, eu só via Hebe na telinha. De vez em quando ela era citada em uma ou outra nota na coluna que mantive no *Jornal do Brasil* e ainda mantenho no *Globo*. Até o dia em que ela me achou, por telefone, no estacionamento de um shopping center no Rio. Já estava doente. Tinha passado um tempo afastada do horário nobre — agora no SBT — para cuidar da saúde, mas uma semana antes do telefonema havia retomado as atividades. Foi um programa emocionante, que celebrou a sua volta à TV. Amigos na plateia, amigos no palco, todo mundo queria mostrar à Hebe o quanto ela era querida. E foi sobre esse sentimento que eu escrevi na minha coluna daquela semana. A TV e a Hebe viveram um casamento perfeito por mais de sessenta anos. Sem a Hebe, a TV tinha ficado sem graça. Com ela de volta, a televisão fazia sentido novamente.

Pois ali, no estacionamento do shopping, o celular tocou e alguém me disse que Hebe Camargo queria falar comigo. Fiquei paralisado. Era ela mesma do outro lado da linha. Queria agradecer pelo que eu tinha escrito na coluna. Me deu vontade de chorar. Chorei. Ali, no estacionamento do shopping, imaginei quantos elogios, quantas homenagens a Hebe já tinha recebido, e mesmo assim ainda se dava ao trabalho de telefonar para agradecer àquele que talvez tenha sido o menos importante dos elogios, a mais singela das homenagens. Querendo mostrar a intimidade que tinha com ela, falei da minha avó, do programa da TV Continental, do disco que nós, os netos, compramos, da minha canção preferida... No fim, cantamos em dueto "Quem é?". Eu não podia vê-la, mas tenho certeza de que a Hebe estava segurando a gargalhada diante de minha desafinação.

Voltamos a nos ver quando ela recebeu o prêmio Faz Diferença, do jornal *O Globo*, em uma festa no hotel Copacabana Palace. Não nos falamos, pois era difícil chegar perto dela. Era a mais requisitada de todos os premiados. Dos donos do jornal aos estagiários que cobriam a festa, todos queriam ficar perto dela. Eu não tive a menor chance. A certa altura da noite, trocamos olhares. Acho que foram olhares cúmplices e que, em pensamento, reprisamos nosso dueto cantando baixinho:

"Quem é que lhe cobre de beijos?"

Quis o destino que eu encontrasse a Hebe mais uma vez, quando fui convidado para escrever sua biografia. Durante um ano e meio convivi com ela, coletando dados para descrever a trajetória de uma personalidade esfuziante, que ajudou a contar a história da televisão brasileira. Impossível não lembrar todos os nossos encontros. Impossível não lembrar minha avó.

Ah... e minha intuição estava certa. Enquanto apurava informações para minha pesquisa, descobri que as flores preferidas da Hebe eram as rosas vermelhas, rosas da mesma cor que eu identificava no velho aparelho de TV em preto e branco da dona Candoca.

Que este livro seja um brinde, como os muitos com que ela celebrou a alegria de viver. "À vida", ela costumava dizer enquanto batia taças de champanhe. Com este livro, eu brindo com a Hebe: à vida!

CAPÍTULO 1

"VOCÊS VÃO ME MASSACRAR"

Já estava tudo pronto no estúdio principal da TV Cultura, em São Paulo. Era a noite de 17 de agosto de 1987, uma segunda-feira. A arena de dois andares estava montada. O cartunista Paulo Caruso aguardava em seu posto a hora de registrar as expressões da entrevistada e dos entrevistadores. Luz ajustada, câmeras posicionadas. Os jornalistas convidados para fazer as perguntas já ocupavam seus lugares. Como era hábito na época, mesmo em estúdios de TV, cada entrevistador tinha um cinzeiro à sua frente. Quase todos já tinham posicionado seus maços de cigarro num lugar de fácil acesso. Ali estavam Boris Casoy, da *Folha de S.Paulo*, Giba Um, da *Folha da Tarde*, o escritor Ruy Castro, Ricardo Kotscho, do *Jornal do Brasil*, José Roberto Paladino, da revista *Afinal*, Otávio Mesquita, da TV Manchete, e Leão Lobo, também da *Folha da Tarde*. Quando o jornalista Augusto Nunes, apresentador do programa, entrou em cena, logo percebeu que nem tudo estava tão pronto assim.

A cadeira no centro da arena, reservada para o entrevistado da semana, permanecia vazia. Em 15 minutos o programa entraria no ar. Nunes só tinha uma pergunta: "Cadê a Hebe?"

O cenário era do *Roda Viva*. Não fazia um ano que estava no ar e já era um dos mais respeitados programas de entrevistas da televisão brasileira. A atração das noites de segunda-feira da TV Cultura se orgulhava de ter sabatinado a fina flor da política brasileira da época. Era uma espécie de entrevista coletiva cujos entrevistadores brilhavam nas equipes mais talentosas de jornais e revistas do país. O ministro da Justiça Paulo Brossard, o ex-secretário-geral do Partido Comunista do Brasil, Luís Carlos Prestes, o ex-candidato do Partido dos Trabalhadores ao governo do Rio de Janeiro, Fernando Gabeira, e o caçador de marajás, Fernando Collor de Mello, foram alguns dos destaques no centro da arena.

A convidada daquela noite, porém, não tinha nada a ver com líderes de partidos ou políticos em ascensão. Hebe Camargo — seria ela a entrevistada — era só uma apresentadora de TV. E, para desespero de Augusto Nunes, não estava à vista. Em um programa transmitido ao vivo, o suposto desaparecimento da estrela seria mesmo capaz de desesperar qualquer mediador.

Aquela era a segunda edição do *Roda Viva* liderada por ele. Recentemente escalado para substituir o também jornalista Rodolpho Gamberini, a entrevista com Hebe tinha sido ideia do próprio Augusto Nunes. Ela estava com 58 anos e completava quarenta de carreira. Mais precisamente 43, como gostava de corrigir. Nas semanas que antecederam sua participação no *Roda Viva*, concedera entrevista para as prestigiosas páginas amarelas da *Veja*, tinha sido capa da *Afinal*, uma publicação semanal que tentava competir com a *Veja* e a *Istoé*, e seu perfil ocupara uma página inteira do caderno "Ilustrada" da *Folha de S.Paulo*. Para usar uma expressão que mesmo naqueles tempos já caíra em desuso, Hebe estava "na crista da onda". Tudo era resultado do sucesso que vinha fazendo seu programa semanal no SBT.

Contratada pela estação do animador Silvio Santos havia um ano e meio, Hebe recebia, nas noites de terça-feira, artistas, políticos, celebridades em geral. Era uma espécie de sala de visitas que funcionava como uma extensão da casa dos espectadores. O SBT era novo, tinha apenas seis anos de idade, e contava com Hebe Camargo como sua principal atração. Não era rara a noite em que a audiência de Hebe batia a da TV Globo, já campeã absoluta de Ibope. Todo esse sucesso credenciava a apresentadora a submeter-se ao esquema de perguntas e respostas do *Roda Viva*. "Sugeri uma entrevista com a mulher que era a cara da televisão brasileira", justifica hoje Augusto Nunes.

Mas, para que a entrevista acontecesse, era necessário que a "cara da televisão brasileira" estivesse presente nos estúdios da TV Cultura. De olho no relógio, Augusto Nunes tratou de procurá-la. Percorreu a emissora para, enfim, encontrar Hebe no gabinete de Roberto Muylaert, o então presidente da Fundação Padre Anchieta, responsável pelo funcionamento da estação. No entanto, não ficou muito animado quando a viu. Hebe não parecia disposta a cumprir o compromisso.

O figurino era o de uma estrela. Ela usava um *tailleur* marinho com gola branca. As joias não poderiam faltar: uma gargantilha de duas voltas de pérolas com ouro e brilhantes. Nas orelhas, argolas de ouro e brilhantes. O cabelo estava preso em uma trança longa, mas algo não compunha bem com o visual. Hebe estava tremendo dos pés à cabeça. Feito uma iniciante.

Nunes tentou tranquilizá-la dizendo que ela ia "dar um baile", mas não foi o bastante para convencê-la.

"Vão me humilhar. Vão gozar do que eu falo", dizia Hebe, referindo-se aos jornalistas que a esperavam no estúdio.

"É o teu mundo", rebatia Nunes. "Eles é que estão nervosos. Eu é que fico inibido."

Já tinha sido difícil convencê-la a aceitar o convite. Quando Augusto Nunes entrou em contato com Hebe pela primeira vez, sua reação foi de espanto: "Eu? Por quê?"

Hebe dizia que não tinha "conhecimento" para aguentar uma hora e meia de sabatina. Na avaliação de Augusto Nunes, ela era insegura e tinha medo daqueles que definia como "intelectuais". O fato de só ter estudado até o quarto ano primário, que equivale atualmente ao quarto ano do ensino fundamental, a marcara para o resto da vida.

Durante sua trajetória, Hebe ouviu, mais de uma vez, que Walt Disney, o poderoso produtor de cinema americano, também só tinha estudado até o quarto ano. Nessas ocasiões, ela sempre replicava com o mesmo argumento: "Ah, mas ele era o Walt Disney."

O mediador, enfim, conseguiu levá-la, ainda que contrariada, até o estúdio, onde Hebe não disfarçou o temor: "Nossa! Só tem intelectual. Só tem gente que escreve livro."

A cada jornalista que a cumprimentava, ela demonstrava a angústia que vinha sentindo: "Estou morrendo de medo. Vocês vão me massacrar. Vão me tratar como ignorante."

"Ela se considerava inculta", analisa Nunes, "e achava que isso era uma grande falha. Mas, como acontecia em qualquer lugar, no *Roda Viva* a insegurança só durou alguns minutos. Em pouco tempo, Hebe já dominava a entrevista. Foi a primeira entrevistada do programa a ser aplaudida por todos os entrevistadores no final. A soberana da telinha transformava qualquer estúdio ou palco em seu reino. Acho que o brilho da estrela impedia que ela se visse."

Nunes não a chama de "soberana da telinha" por acaso. Hebe tinha o direito legítimo de usar esse título. Quando era apenas uma cantora de rádio, no fim da década de 1940, recebeu muitos epítetos que não chegaram a marcar sua carreira. Foi a Morena Brejeira do Samba, a Queridíssima, a Estrelinha, a Estrelinha do Samba, a Estrela de São Paulo, a Moreninha do Samba, a Estrela do Planalto, a Vitamina do Samba... Em 1960, porém, em votação popular promovida pela *Revista do Rádio*, foi eleita a Rainha da Televisão. Teve 105.450 votos, mais que o dobro da segunda colocada, Angela Maria, com 45.200, e deixando para trás outras candidatas famosas, como Isaurinha Garcia (terceiro lugar, com 38.420 votos), Maysa (quarto lugar, com 33.079 votos) e Marlene (quinto lugar, com 37.180 votos).

Em 1960, Hebe já era uma apresentadora experiente. Com uma dúzia de programas de TV no currículo, acumulava as funções de cantora e apresentadora, o que não era comum. Naquela época, as mulheres não apareciam muito no comando de shows televisivos, principalmente à frente de auditórios. A situação não era muito diferente quase trinta anos depois, quando Hebe chegou ao *Roda Viva*.

Ela foi a primeira de todas, teve seguidoras, mas o mundo dos apresentadores, aqueles que também eram chamados de animadores de auditório, continuava a ser, na sua essência, um mundo de homens. Do time de profissionais que se convencionou chamar de "comunicadores" faziam parte J. Silvestre, que usava a formalidade como arma; Abelardo "Chacrinha" Barbosa, um mestre da irreverência; Flávio Cavalcanti, adepto do sensacionalismo; e Silvio Santos, que habituou o espectador a esperar o inesperado. Com um pouco das características de cada um de seus rivais, Hebe era a única mulher do grupo — durante um período, nos anos 1960, houve também Bibi Ferreira —, o que garantia a seus programas um toque de feminilidade e outro tanto de feminismo, num universo essencialmente machista.

Não se deve estranhar, portanto, que somente cantoras tivessem ameaçado sua vitória na eleição da *Revista do Rádio* que escolheu a Rainha da TV. Hebe ganhou o título e, até mesmo porque não se ouviu falar de outro certame do gênero, nunca mais ninguém o tomou dela. E foi como Rainha da Televisão, primeira e única, que ela se sentou no centro da roda-viva naquela segunda-feira, em agosto de 1987. Ou como "soberana da telinha", o jeito de Augusto Nunes classificá-la.

Diferentemente do que acontecera nas edições anteriores do programa, os entrevistadores foram cordiais ao extremo com a convidada. "Eu achei que seria um programa mais agressivo, mas os entrevistadores trocaram as perguntas", interpreta Augusto Nunes. "Eles sentiram de cara que a Hebe era uma pessoa boa."

Hebe, como qualquer um que se sentasse ali, tinha motivos de sobra para estar nervosa e insegura. Desde a estreia, o *Roda Viva* apresentava um cenário hostil ao convidado. Havia, por exemplo, uma câmera fixa posicionada em cima do entrevistado, no alto do estúdio, e muitas vezes o convidado temia que ela caísse em sua cabeça. A tal câmera transmitia ao telespectador a sensação de que o convidado não estava à vontade, e quase sempre era esse o caso. Nunes define: "Era um programa *contra* o entrevistado, fosse ele quem fosse." Hebe estava tensa, portanto, mas é difícil acreditar que estivesse intimidada diante do grupo de entrevistadores.

Com exceção de Ruy Castro, que estava diante da Hebe pela primeira vez, todos os outros podiam ser considerados amigos dela, ou pelo menos tinham alguma proximidade com a apresentadora. Desde que passara a promover debates em seus programas, Hebe costumava convidar alguns jornalistas para participar da discussão. Eram profissionais que ela admirava e que a deixavam mais segura para comandar as conversas. Quase todos os convocados para entrevistá-la no *Roda Viva* faziam parte desse grupo. É natural imaginar que ela tenha escalado o time de entrevistadores.

No entanto, Hebe escancarou o tempo todo sua autoestima pouco elevada, devido ao que ela considerava uma formação escolar medíocre. Não estava acostumada a dar entrevistas ao vivo, sujeitando-se a ter suas opiniões e escolhas questionadas. E era justamente esse o esquema do *Roda Viva*. Hebe ficava mais à vontade respondendo questionários elaborados pela imprensa especializada em rádio e TV. Uma vez, apareceu na seção "Ficha completa" da *Revista do Rádio*. Nem a revista queria perguntar, nem Hebe queria responder sobre qualquer tema que pudesse suscitar polêmica. Era esta a ficha completa da Hebe Camargo em 1960:

Nome completo: Hebe Maria Monteiro de Camargo
Data de nascimento: 8 de março

Local em que nasceu: Taubaté (São Paulo)
Religião: Católica apostólica romana
Cor política: Democrata cem por cento
Peso atual: 60 quilos. Acha que está muito "gorduchinha"
Algumas medidas: Altura — 1,61; cintura — 60; busto — 96; quadris — 94; tornozelo — 21
Residência: Rua Petrópolis (bairro do Sumaré, em São Paulo)
Cor da pele e dos cabelos: Pele morena, cabelos naturais castanhos, quase pretos
Esporte predileto: Adora natação, embora nade tão bem quanto um prego
Diversão preferida: Cinema. Embora tenha uma certa preferência pelos filmes policiais, gosta de todos os outros gêneros
Hora de deitar e de levantar: Varia de acordo com os compromissos que assume, mas, de maneira geral, costuma deitar-se às 11 horas da noite e acordar às 10 horas da manhã. Só acorda cedo para viajar.
Horário das refeições: Almoça às 12h30 (um prato reforçado) e só janta depois de atuar em seu último programa, geralmente depois da meia-noite
Pratos preferidos: Nhoque, filé com champignon e salada de alface bem temperada
Opinião sobre os inimigos: Não os tem, mas, se tivesse, não se incomodaria com eles
Complexos que possui: Até agora não encontrou nenhum, mas acredita que possa ter alguns bem escondidinhos
Defeitos: Diz que uma página inteira da *Revista do Rádio* não daria para descrevê-los
Qualidades: Prefere não citá-las, pois acha que louvor de boca própria não tem a menor valia

Situação financeira: Boa, melhorando sensivelmente
Coisa de que mais gosta: Viver
Coisa que mais detesta: Inveja
Opinião sobre si mesma: "Não tive tempo ainda de analisar a mim mesma, mas gostaria de fazê-lo para me descobrir"
Um grande homem: Franklin Delano Roosevelt
Um político: Juscelino Kubitschek de Oliveira
Um escritor: Antoine de Saint-Exupéry

Se repetissem essas perguntas, os entrevistadores do *Roda Viva* perceberiam o quanto Hebe mudou. A medida do busto teria de ser diminuída em virtude da cirurgia plástica radical a que ela se submeteu não muitos anos depois de o questionário ser publicado. Definir a cor dos cabelos da loura mais famosa do Brasil como "quase pretos" certamente provocaria risadas. E Saint-Exupéry... Bem, nos anos 1980, nem mesmo as misses tinham coragem de citar o autor de *O Pequeno Príncipe* como escritor preferido. Ao mesmo tempo, é fácil supor que ela manteria a resposta ao ser indagada sobre "a coisa de que mais gosta". O que Hebe sempre curtiu a vida inteira foi "viver".

Mas não foi esse o tipo de pergunta que a esperava. E, apesar de os entrevistadores terem sido delicados, Hebe expôs suas fragilidades. Logo no começo do programa, ao responder à primeira pergunta feita por Augusto Nunes — algo sobre o sucesso que vinha fazendo e o interesse que despertava em toda a imprensa —, deixou evidente a baixa autoestima em relação à sua formação cultural. Nem era essa a questão, mas ela iniciou a resposta com uma referência ao tema. "Não sou tão ignorante como as pessoas... como algumas pessoas imaginam que eu seja", disse.

Pouco depois, Ruy Castro quis saber se ela sofrera com a Censura durante a ditadura militar. Hebe relatou alguns problemas que tivera, vinte anos antes, em seu programa na TV Record, quando entrevistou o cantor Juca Chaves, um crítico de qualquer governo, e o dramaturgo Plínio Marcos, um dos artistas mais perseguidos naquele período. Ela demonstrava orgulho por ter recebido essas duas personalidades em seu sofá, mesmo sabendo que a Censura iria incomodar. Mas não perdeu a chance de, mais uma vez, trazer à baila o assunto de sua formação escolar. "O meu programa sempre foi uma tribuna. Eu sempre convidei as pessoas de todas as tendências, de todos os partidos. Então, às vezes eu fico surpresa e digo: realmente, eu sou muito ignorante, como alguns dizem, ou muito burra..." E aí, meio perdida na resposta, passou a falar de uma suposta proibição à presença de Lula (na época, deputado federal) na TV Globo ("No meu programa o Lula vai", vangloriou-se). Mas por que, ao falar de Censura, Hebe voltou a lembrar que era chamada de ignorante, de burra? Dava a impressão de que, antes que alguém a ofendesse, ela mesma tratava de se desqualificar.

A certa altura, Otávio Mesquita quis saber se Hebe, após tantos anos de carreira, ainda se sentia nervosa ao entrar em cena. Ao responder, ela voltou a fazer referência às lacunas em sua formação cultural. "Fico, fico extremamente nervosa. Mas, quando eu entro no palco, me acalmo pelo seguinte: eu nunca prometi para ninguém fazer programa cultural, porque senão eu estaria numa outra emissora e não seria nem eu, não é? Eu ficaria por trás dos bastidores, talvez carregando um cabo, ou fazendo qualquer coisa, mas não um programa cultural, porque às vezes me cobram..."

Nesse momento, Hebe foi interrompida. As referências à burrice, à ignorância, à falta de cultura ameaçavam dominar a entrevista, até que José Roberto Paladino, o repórter que fizera a reportagem de capa com ela para a revista *Afinal*, pediu que ela explicasse: "Por que você faz questão de enfatizar uma pseudoincultura sua? (...) Isso é uma estratégia de marketing?"

"Não, não é", reagiu Hebe. "É porque, geralmente, quando eu leio coisas a meu respeito de pessoas que não sei com que intenção dizem que eu sou burra, analfabeta..."

A partir daí, Hebe passou a se referir a uma crítica negativa assinada por Cora Rónai e publicada na tal reportagem da *Afinal*. Na época, Cora era crítica de TV do *Jornal do Brasil*. "Ela disse que não entende como é que tenta ver os meus programas e os do Silvio Santos e não consegue. Ela é crítica de televisão. Eu acho que ela está errada, ela deveria ser crítica de literatura."

Nesse ponto, Hebe olhou para a câmera e começou a se dirigir diretamente a Cora: "Minha cara, você não é obrigada a assistir ao meu programa e nem eu sou obrigada a fazer um programa de cultura porque eu não sou... Eu sou uma pessoa que gosta da vida, que admira o ser humano, que, se puder ajudar, eu ajudo, mas atrapalhar, eu jamais atrapalho. Agora, você dizer que não entende, e que nem é por preconceito, não sei o quê, mas você é extremamente preconceituosa. Agora, não me cobre isso, eu não tenho obrigação de saber tudo e, quando eu não sei, eu pergunto, eu não tenho vergonha de perguntar.

Agora, você está no lugar errado, você não deveria ser crítica de televisão, não."

Será que Cora teria mudado de opinião se escrevesse hoje uma crítica sobre o programa da Hebe? "Acho que sim", diz a jornalista, que, com o passar do tempo, abandonou a crítica de TV, tornou-se cronista e se especializou em jornalismo ligado à área de tecnologia. "Eu era mais intolerante. Hoje aceito coisas que não aceitava naquela época. Acho que isso faz parte do processo de amadurecimento." Hebe iria gostar dessa Cora amadurecida. "Ela tinha toda razão. Eu não deveria ser crítica de TV."

Qualquer crítica atingia Hebe. Em julho de 1956, ela havia lançado um disco em 78 rotações. Era o segundo só naquele ano. De um lado, o mambo "Sim ou não", de Mário Gennari Filho e Joamar; do outro, a versão de Júlio Nagib para o bolero "Meu último fracasso", de Alfredo Gil. Numa coluna da revista *Cigarra*, o disco foi avaliado: "Hebe Camargo é a representante de São Paulo na arte de cantar mal. Seu prestígio é um mistério que só pode se explicar com padrinhos muito fortes. É muito bonita e simpática, viva e inteligente. Desafina. Tem orquestrador especial para seu repertório e se veste muito bem."

Como se vê, não é exatamente uma avaliação positiva. Também não significou nada para a trajetória da artista, que, naquele tempo, ainda dava mais atenção à carreira de cantora que à de apresentadora. Hebe não deixou de vender um disco sequer pelo fato de ter sido publicado que ela cantava mal e desafinava. Apesar disso, eliminou o nome do crítico, recortou a nota e a guardou para o resto da vida. Pelo menos ali estava escrito que ela era inteligente.

Chega a ser irônico que uma pessoa tão preocupada com os que a consideravam sem cultura tenha sido o primeiro ídolo da TV a ser objeto de estudo em uma universidade. Quando se começou a falar em cultura de massa no Brasil, no fim dos anos 1960 e começo dos anos 1970, o programa de Hebe na TV Record foi o tema da dissertação de mestrado de Sergio Miceli. O jovem sociólogo já tinha visto suas duas primeiras ideias serem rejeitadas pela direção acadêmica do Departamento de Sociologia da Universidade de São Paulo (USP). Uma tinha a ver com o movimento tropicalista, tema considerado "demasiado candente" naqueles idos da ditadura; a outra era sobre o pensamento nacional-desenvolvimentista dos intelectuais atuantes no Instituto Superior de Estudos Brasileiros (Iseb), no Rio de Janeiro, maior rival do que poderia se chamar de filosofia da USP. Como já vinha pesquisando para um artigo sobre a televisão, Sergio foi estimulado a ampliar o artigo e transformá-lo em dissertação de mestrado. Assim nasceu *A noite da madrinha*, publicada como livro em 1972. No prefácio de uma reedição lançada em 2005, o próprio autor explica o título: "Aludia ao aconchego do espectador no sofá, assistindo no vídeo à réplica da sala de visitas em que sucedia a embolada sentimental simulada pela comadre-animadora, que se fazia passar por uma espécie de rebuliço em forma de gente."

A linguagem de *A noite da madrinha* é difícil como os textos sociológicos de sua época; não é leitura para leigos. Hebe nunca aprovou o livro. Para ela, a crítica a seu trabalho que leu nas entrelinhas da tese chamava mais atenção do que o prestígio de ser estudada pela academia. Miceli reavaliou seu percurso na edição de 2005: "Hebe Camargo sobreviveu a todos os congêneres de 1960 e 1970 (...) Ela se impôs pelo vigor do carisma pessoal, pelo trabalho puxado e, claro, pela esmerada repaginação de sua figura pública."

E Hebe ainda perguntava por que mereceria ser entrevistada pelo *Roda Viva*. Cantora de sucesso, apresentadora de TV que se transformou em fenômeno de audiência, assunto de dissertação de sociologia, queridinha da imprensa, Rainha da Televisão coroada em eleição direta... Talvez por tudo isso ela não conseguisse esconder o nervosismo. Quando aceitou se submeter às perguntas dos "intelectuais" naquela arena, ela tremia quase tanto quanto no primeiro programa de calouros de que participou. Foi em 1942, no *Calouros Kol-Kin*, da Rádio Record, de São Paulo. Tinha 13 anos e imitou Carmen Miranda interpretando "Disso é que eu gosto", um choro de Luiz Peixoto e Vicente Paiva. Com o jeito brejeiro que marcou seus primeiros passos na música, ela repetiu as entonações de Carmen, sua cantora preferida:

> *Não sou cantora, não pretendo ir pro Scala*
> *Não sou soprano ligeiro porque a voz eu não imposto*
> *Eu sou do samba, e quando o samba é ritmado*
> *Aí me espalho um bocado*
> *Ah... disso é que eu gosto*

Hebe ficou em primeiro lugar, e então descobriu que a vitória lhe daria direito a um prêmio em dinheiro. Deixou a quantia com os pais, para ajudar nas despesas da casa, e resolveu se dedicar seriamente aos programas de calouros, a fim de aumentar a renda da família. Só que, para cumprir esse objetivo, largou os estudos. "Foi por necessidade", diria anos depois. "Foram justamente os prêmios que me levaram a tentar a carreira artística. Precisava ganhar a vida. Era de família pobre, do interior. Vivia cantando o dia inteiro pela casa. Até que percebi que podia lucrar com isso. Foi aí que tudo começou."

CAPÍTULO 2

"UMA FAMÍLIA MUITO POBRE, MAS ALEGRE"

Na mitologia grega, Hebe era a deusa da juventude. Filha de Zeus e Hera, ela costumava se divertir dançando com as musas ao som da harpa de Apolo. Justamente pelo fato de representar a eterna juventude, a ela foram delegadas as tarefas domésticas. Das deusas, era a que tinha maior disposição para cumpri-las. Entre outros trabalhos, servia néctar e ambrosia ao resto do Olimpo. Casou-se com Hércules e era uma dona de casa exemplar. Seria o que hoje se chama de "do lar". Essa Hebe, a deusa, tem muito pouco a ver com a Hebe cuja história está sendo contada aqui. Uma e outra tiveram a capacidade de não envelhecer, de ser eternamente jovens. Porém, se havia algo que não mobilizava a nossa Hebe eram as tarefas domésticas. Até que ela se orgulhava de, em caso de necessidade, conseguir enfrentar a cozinha e preparar um espaguete ao alho e óleo com sardinha que lhe rendia elogios. Mas era só. Talvez por isso mesmo a nossa Hebe quase se chamou Beatriz.

"UMA FAMÍLIA MUITO POBRE, MAS ALEGRE"

Pelo menos fora esse o desejo do pai, seu Sigesfredo Monteiro Camargo. Quem o fez mudar de ideia foi uma tia, que sugeriu o nome da deusa da mitologia grega. Uma filha que seria jovem para sempre? A ideia foi logo acatada. Na hora do batismo, seu Fego (era assim que todo mundo o chamava) acrescentou Maria. Deixou de existir mais uma Beatriz e surgiu uma Hebe Maria. No registro civil, foram mantidos os dois sobrenomes do pai e foi ignorado o nome de família da mãe, dona Esther Magalhães Camargo. E assim nasceu Hebe Maria Monteiro de Camargo, em uma família humilde de Taubaté, município mais antigo do Vale do Paraíba, no interior de São Paulo. O locutor Cid Moreira, outro taubateano que conquistou fama, tinha um ano e meio de vida — ainda não tinha o sucesso. Sendo assim, até 8 de março de 1929, dia em que Hebe nasceu, o escritor Monteiro Lobato era o mais celebrado dos filhos de Taubaté. Mas não iria manter essa condição por muito tempo.

Do signo de Peixes, Hebe era a caçula dos nove filhos de dona Esther e seu Fego. As duas meninas mais velhas — Josefina e Première Rose — morreram antes de completar 2 anos de idade. Depois vieram Lourdes, Paulo, Aparecida, Fego Jr., Stela e João, que também morreu ainda criança. Com a chegada de Hebe, ficaram sendo oito os moradores da casa modesta da rua Barão da Pedra Negra, no centro de Taubaté. Fego já estava com 41 anos, o que na época era idade de avô, não de pai. Hebe nunca escondeu que sempre teve mais afinidade com ele do que com dona Esther. "Minha mãe era uma mulher à antiga", disse na entrevista que deu ao jornalista Alessandro Porro para a revista *Playboy*, em fevereiro de 1987, uma das mais reveladoras de sua vida. "Entre nós, havia uma grande diferença de idade — daí, uma completa falta de comunicação. Sempre tive o máximo de amor e carinho pelo meu pai. Com ele, eu me entendia bem." A recíproca era verdadeira. Enquanto moraram juntos, ou na casa dele ou na casa dela, Hebe sempre foi acordada por valsas que Fego tocava ao violino na porta de seu quarto.

Não seria exagero dizer que os Camargo eram a família mais musical da cidade. Dona Esther tocava piano, mas não profissionalmente, só para alegrar o ambiente doméstico. O sustento da família grande dependia somente de Fego. Ele era maestro e violinista do grupo que garantia a trilha sonora dos filmes mudos exibidos no Cine Teatro Polytheama. A sala de cinema também ficava no centro de Taubaté, não muito longe de sua casa. Hoje, é Teatro Metrópole, uma joia da arquitetura, tombada pelo patrimônio do município. "Era uma família muito pobre", contava a própria Hebe nas entrevistas quando se lembrava da infância. Para logo em seguida acrescentar: "Mas alegre."

Quase quatro meses depois de seu nascimento, mais precisamente em 30 de junho de 1929, um acontecimento na área do entretenimento do Rio de Janeiro mudou a vida da família Camargo para sempre. Naquele dia, estreou no Cine Odeon, na Cinelândia, a película norte-americana *Melodia na Broadway*, dirigida por Harry Beaumont. Foi o primeiro filme falado lançado no Brasil. Assim como acontecera nos Estados Unidos dois anos antes, com a exibição de *O cantor de jazz*, de Alan Crosland, no dia seguinte à estreia ninguém mais queria saber de filmes mudos. Os *talkies* é que eram a sensação. Dois anos se passaram até que um cinema brasileiro tivesse o equipamento adequado para exibir um filme falado. A partir daí, porém, a tecnologia se popularizou rapidamente no país. Acabou chegando a Taubaté e ao

"UMA FAMÍLIA MUITO POBRE, MAS ALEGRE"

Polytheama, onde o pai de Hebe ganhava a vida. Com os *talkies* na tela, qual era a necessidade de ter orquestras ao vivo nas salas de projeção? Do dia para a noite, Fego perdeu o emprego. Referindo-se a 1929, ele costumava dizer que "naquele ano, entre São Paulo e Rio, milhares de músicos ficaram a pão e laranja".

Durante os três anos seguintes, Fego viveu de bicos. Tocava em quermesses da região, em festas de casamento, em qualquer lugar que precisasse de um violinista. Foi assim até 1932, quando, durante a Revolução Constitucionalista que tentou derrubar o governo de Getúlio Vargas, o pai de Hebe foi incorporado como soldado no Exército de São Paulo, na função de tocador de baixo-tuba na banda militar. Frustrado o movimento, Fego voltou para os bicos. Alguns anos depois, sua passagem pela banda militar acabou por credenciá-lo a um convite para participar de uma orquestra de quarenta músicos que tocaria na inauguração da Rádio Difusora, em São Paulo. Era a sua chance de voltar ao violino! Após a apresentação, a orquestra foi contratada pela emissora, e Fego se mudou com a família para a capital.

A mudança e o salário fixo não transformaram muito a condição financeira de Fego. O primeiro endereço paulistano foi na rua Rui Barbosa, no bairro do Bixiga. Dali, Hebe manteve duas recordações que a ajudaram a definir sua infância como a de "uma família pobre". Uma delas foi quando, aos 9 anos, fez a primeira comunhão como aluna do Grupo Escolar Imaculada Conceição. O pai conseguiu providenciar a roupa de anjo, mas não pôde comprar sapatos novos para a filha. Hebe foi a única da turma a calçar tênis surrados, só que estava mais interessada, confessaria anos depois, "no café com pão doce que viria depois do que na hóstia". A outra recordação tem a ver com as refeições. O cardápio na casa dos Camargo não era dos mais variados. Quase sempre, tanto no almoço quanto no jantar, havia somente arroz para comer. Era o que dava para comprar. "Havia pobreza, sim", dizia Hebe: "mas nunca faltaram amor e amizade em nossa família."

Por tudo isso, Hebe percebeu muito cedo que precisava trabalhar. Seria uma maneira de a família grande obter mais conforto e um cardápio mais criativo. Aos 12 anos, ela começou a arrumar a cozinha de uma casa de família, tarefa pela qual ganhava 60 mil-réis. Em seguida vieram os programas de calouros, que se mostraram mais lucrativos. Hebe vencia todos. Àquela altura, a família já tinha se mudado para o bairro da Liberdade, onde passou a morar no porão de um edifício da rua São Joaquim.

Foram dois anos de vida de caloura até chamar a atenção da Rádio Difusora, com a qual assinou seu primeiro contrato profissional em 1944. Com a Tupi, a Difusora formava a dupla de emissoras paulistas dos Diários Associados, instaladas num prédio do bairro do Sumaré chamado de Cidade do Rádio. Hebe ganhava 340 cruzeiros por mês, o que não era um salário alto. Uma remuneração razoável seria quatro vezes maior, mas essa era a quantia que ficava para as meninas que formavam o quarteto vocal que se apresentava na estação. Hebe cantava ao lado da irmã Stela e das primas Helena e Maria. Era o Quarteto Dó-Ré-Mi-Fá, atração exclusiva do programa *Pandemônio Gessy*. O grupo durou até Maria deixá-lo para se casar.

O jeito foi transformar o quarteto em trio, As Três Américas. Era também uma maneira de a Difusora manter na sua programação ao vivo o repertório das Andrews Sisters, trio americano que estava estourando em todo o mundo. A nova formação não durou muito tempo: Helena também deixou a vida artística para se casar.

E o trio virou duo. A Difusora estava precisando de uma dupla caipira feminina para substituir Xandica e Xandoca, que haviam deixado o elenco de *Arraial da Curva Torta*, programa apresentado pelos sertanejos Tonico e Tinoco. E foi assim que Hebe e Stela viraram Rosalinda e Florisbela. Seu Fego se apresentava no mesmo programa como músico da Bandinha do Arraial. Hebe gostava de dizer, até o fim da vida, que nunca ninguém soube quem era Rosalinda e quem era Florisbela. Mas isso era só uma piada. Hebe era a Rosalinda, sem dúvida alguma, e Stela, a Florisbela. A dupla não vingou — adivinhe por quê. Stela ficou noiva e largou o rádio. A alternativa para Hebe foi seguir a carreira solo. Pelo menos o salário ficou maior: a artista passou a ganhar 1.200 cruzeiros por mês.

Quando a contratou, a primeira providência da direção da Difusora foi mudar o seu nome. O fato de Hebe Camargo ter cinco sílabas já era uma vantagem. Como Carmen Miranda. Ou Orlando Silva. Ou ainda Carlos Galhardo. Existia no meio radiofônico a crença de que só se alcançava o sucesso com um nome de cinco sílabas. Mas Hebe Camargo era um nome "em baixo". Em outras palavras, não ficava confortável na garganta de um animador de auditório. He-Be Ca-Máááár-Go. Melhor seria Magali Porto, por exemplo, este sim um nome "no alto". Ma-Ga--Li Poooooor-To. Os animadores iriam adorar. Hebe chegou a se apresentar algumas vezes com esse nome de fantasia, porém logo desistiu e retomou o Hebe Camargo de sempre. As cinco sílabas convencionais estavam lá, e, no futuro, ela aprenderia que não precisava de um nome "no alto". Afinal, a artista se especializaria em animar auditórios.

Além das apresentações na Difusora, onde já era anunciada como "a estrelinha de São Paulo" ou "a estrela do Planalto", os primeiros anos da carreira de Hebe foram de muito trabalho em diversas plataformas. Em 1948 ela se incorporou à Brigada da Alegria, um grupo de artistas organizado pelo comediante Mazzaropi que se apresentou em todo o país. Nessa mesma época, foi contratada como *crooner* da casa noturna do Lord Palace Hotel, estabelecimento recém-inaugurado no centro de São Paulo, cuja boate passou a receber a fina flor da sociedade paulistana. Trabalhou lá por dois anos. Foi no Lord que Hebe conheceu o primeiro namorado que a transformou em notícia: o boxeador americano Joe Louis, também conhecido como "o bombardeiro marrom".

Joseph Louis Barrow lutou profissionalmente entre 1934 e 1951 e foi campeão mundial na categoria peso pesado entre 1937 e 1949. Quando esteve no Brasil, em 1950, numa espécie de turnê de despedida, sua carreira já vinha numa curva descendente, mas o boxeador ainda entusiasmava o público com todos os seus recordes. As exibições dessa viagem foram promocionais. Em São Paulo, lutou em um ringue armado no estádio do Pacaembu e se encantou pela artista exuberante que se apresentava na boate do hotel em que os patrocinadores o instalaram. Isso mesmo. Ele se hospedou no Lord Palace Hotel, onde Hebe cantava!

Divorciado, Joe Louis já estava com 35 anos. Hebe tinha 20. Era morena, cabelos ondulados, busto farto, decotes pronunciados. Ela mesma definiu seu perfil da juventude na entrevista à *Playboy*: "Eu era forte, tinha uns olhos profundos, umas sobrancelhas marcantes. E um busto que não parecia o de uma menina. Os frequentadores da boate dançavam com as suas mulheres, mas olhavam para mim."

Trabalhando como cantora da noite, ela parecia ser uma mulher livre. Mal sabiam seus admiradores — e eram muitos! — que, no horário de expediente na boate, das dez da noite às quatro da manhã, sempre estava acompanhada por seu Fego ou dona Esther, que faziam marcação cerrada, impedindo que os homens largassem suas mulheres e tentassem alguma coisa a mais. De alguma maneira, Joe Louis venceu a barreira e chegou até ela.

A troca de olhares na boate se transformou em namoro, como registrou a revista *O Cruzeiro* na edição de 17 de junho de 1950. Convocada pela Difusora para participar dos festejos de inauguração de uma nova emissora de rádio em Belo Horizonte, Hebe foi a principal atração da série de shows. Não por acaso, a Difusora (a rádio que mantinha Hebe sob contrato), *O Cruzeiro* (a principal revista de informação do país) e a nova rádio mineira tinham o mesmo dono: os Diários Associados.

O destaque que "a moreninha do samba" recebeu na cobertura jornalística do evento já mostra o interesse dos Associados em divulgar o nome de Hebe Camargo: "No desfile de astros de inauguração da nova estação da Rádio Guarani, tomaram parte alguns dos mais populares artistas de São Paulo e Belo Horizonte. O auditório esteve à cunha nos festivos dias da temporada. O público mineiro aplaudiu com calor e entusiasmo a mensagem do Sumaré. Merece especial destaque o êxito de Hebe Camargo, cantora de samba e já conhecida dos mineiros.

É que nessa oportunidade Hebe Camargo assinalou um sucesso sem precedentes, derivado em parte de um motivo curioso. Circulara a notícia de que havia um caso de amor entre Hebe e Joe Louis, iniciado quando o campeão mundial de boxe estivera em São Paulo.

"Adiantavam-se detalhes. Joe Louis presenteara Hebe com um cordão de ouro e uma medalha com dedicatória. Esse cordãozinho de ouro que Louis sempre usava era uma joia de estimação. Hebe cantou tendo o precioso souvenir ao pescoço como colar. Dizia-se mais: que Hebe ficara emocionadíssima com a luta de Louis no Pacaembu. Era o seu *boyfriend* que estava lutando, e não um simples pugilista. Comentava-se por outro lado que havia uma certa dificuldade de entendimento entre os dois namorados, superada porém por Cupido como cicerone: é que Joe Louis (que alguns mais exaltados já traduziram para José ou Zé Luís) não falava português, a não ser algumas palavras ('muito bom', 'obrigado') e Hebe Camargo não era ainda muito forte em inglês.

"Asseguravam todavia outros admiradores da dupla — astros do boxe e do rádio — que o amor não conhece fronteiras nem se detém com a diferença de idiomas. Tanto que se assegurava que Hebe e Louis tinham combinado na despedida que manteriam contato pelo telefone internacional. E finalmente informava-se que Hebe iria a Nova York em novembro para se encontrar com Louis."

Hebe não foi a Nova York em novembro. Na verdade, sua primeira viagem ao exterior aconteceria sete anos depois, com outro namorado. Do romance com o pugilista famoso só ficou o estranho texto acima, com especial predileção pelo verbo "assegurar" e pela conjunção "todavia". Para a história, porém, fica o registro de ter sido a primeira vez que a imprensa brasileira se interessou por uma joia de Hebe Camargo. Isso se repetiria muitas vezes.

Em 1951, seu nome apareceu na ficha técnica do filme *Liana, a pecadora*, dirigido por Antonio Tibiriçá. Não sobrou nada dessa produção. Sabe-se que os protagonistas eram Márcia Real e Bob Stewart. Nos cartazes de divulgação do filme, Hebe era o terceiro nome, imediatamente antes do nome da comediante Nair Bello. Depois de conhecer Hebe nos bastidores, Nair se tornou uma das pontas de um triângulo feminino que soube manter, por todo o restante do século XX, uma amizade que ficou conhecida no Brasil inteiro. A terceira ponta era formada por Lolita Rodrigues. Assim como Hebe, Lolita seguiu a carreira de cantora e apresentadora. Assim como Nair, destacou-se também como atriz. Por muito tempo, as três foram três amigas inseparáveis. Nair, a mais moça, nasceu dois anos depois de Hebe. Lolita, a do meio, era dois dias mais jovem que Hebe.

"Hebe e eu nos conhecemos nos programas de calouros", conta Lolita. "Foi amizade à primeira vista." Com a contratação de Lolita pela Rádio Tupi, a convivência na Cidade do Rádio fez as duas se tornarem bem próximas. Lolita foi testemunha da vida "muito pobre" que a família Camargo levava. A essa altura, eles já haviam se mudado outra vez, agora para o número 1.799 da rua Artur Azevedo, em Pinheiros. "A casa tinha dois quartos. Fui dormir lá depois de um baile. Num quarto dormiam a Lourdes, o marido e o filho Claudio, recém-nascido", descreve Lolita. "No outro, ficavam duas camas. Uma era usada por Fego e Esther; a outra, por Hebe e Stela. E eu! A Hebe não estava nem aí se era pobre ou rica. Ela queria viver. Sempre teve paixão pela vida."

Tecnicamente, Joe Louis não foi o primeiro namorado de Hebe. Antes ela havia sido "noiva" de um pistonista que identificava apenas como Antoninho. "Não foi importante; foram só uns apertos de mão", costumava dizer. O noivado não durou muito. "Ele era ciumento demais", dizia Hebe para justificar o rompimento.

Antes de todos eles, houve Nassim Gabriel Arida. Hebe e Nassim tinham 15 anos quando se conheceram. Ela já cantava no rádio; ele estudava de manhã e, à tarde, trabalhava numa farmácia que ficava na rua Castro Alves, uma transversal da rua Vergueiro, na Liberdade. Na quadra seguinte, do outro lado da rua, ficava a casa de Hebe. A família toda era cliente da farmácia. "Nós trocávamos conversas", diz Nassim, tentando se lembrar de como começou o relacionamento.

Nassim conta que tinha grande admiração por Hebe porque, mesmo tão moça, ela já demonstrava ter um objetivo. "Os planos dela já estavam traçados", recorda-se. "Ela queria subir, e a gente percebia que já estava em ascensão. Ela também queria um filho de olhos azuis." Foi um namoro de criança. "Andávamos de mãos dadas", relata Nassim. "Ela sempre foi recatada. Às vezes íamos ao cinema." E não passava disso. "Ela gostava de estar bem-vestida, de mostrar-se elegante. Ela chamava a atenção pelo porte, pelo perfil, pelo jeito. Tinha a perna grossa." Sobre os atributos físicos de Hebe na época, ele é discreto, mas ainda não se esqueceu dos decotes. "Eu tenho uma vaga lembrança de que ela procurava mostrar a pujança", resume.

Depois disso, Fego e a família se mudaram para Pinheiros, para a casa que Lolita conheceu, e os caminhos de Hebe e Nassim se separaram. Mas não se pode dizer que não tenha ficado nada desse relacionamento quase infantil. Enquanto foram namorados, Nassim a presenteava todos os dias com um botão de rosa vermelha. Foi assim que a cantora escolheu sua flor preferida.

Depois de Nassim e Antoninho, houve Ribeiro Filho. Locutor das emissoras dos Diários Associados, ele também era apresentador, roteirista e radioator. Entrou para a história das narrações esportivas quando integrou a equipe da Rádio Tupi que transmitiu um jogo de futebol no Parque Antártica, em São Paulo, entre paulistas e cariocas, em 1938. A exclusividade da transmissão tinha sido negociada com outras estações. A Tupi estava proibida de entrar no estádio. Ribeiro Filho furou o bloqueio alugando uma casa no bairro da Barra Funda, com vista para o estádio. E do telhado da casa narrou o jogo. Até onde se sabe, foi a única transmissão radiofônica de um jogo de futebol, feita diretamente de um telhado. "Hebe teve uma paixão por ele", relata Lolita. "O problema é que ele namorava três ao mesmo tempo", acrescenta, explicando por que a relação não deu certo. É a mesma Lolita quem revela o que aconteceu quando Hebe descobriu que era traída: "Ela voltou para casa, chorou a noite inteira e nunca mais falou nele. Ela nunca perdoaria quem falasse para ela alguma coisa que não fosse verdade. Ela não mentia." Mais tarde, Hebe resumiria o caso: "Foi um equívoco mútuo."

Do relacionamento com Ribeiro Filho sobrou um samba, o primeiro que Hebe gravou. Não era fácil tornar-se um nome nacional da música em São Paulo, já que a maioria das gravadoras ficava no Rio. A Rádio Nacional, principal reduto de cantores importantes em todo o país, também tinha sua sede no Rio. Os compositores que ofereciam repertório para esses cantores moravam no Rio. Eram poucas as cantoras que, de São Paulo, conquistavam o Brasil. Uma das exceções era Marlene, legítima representante do bairro paulistano do Bixiga. Marlene, porém, fugiu de casa e se instalou na Cidade Maravilhosa para iniciar uma carreira bem-sucedida. Outra exceção foi Isaurinha Garcia, que manteve por toda a vida o forte sotaque italianado do bairro do Brás, onde nasceu.

Coincidentemente, Isaurinha teve um começo de carreira parecido com o de Hebe, cantando músicas de Carmen Miranda em programas de calouros. No começo da década de 1950, as duas chegaram a disputar o posto de A Mais Bela Voz de São Paulo num daqueles concursos que a *Revista do Rádio* gostava de promover. Quando queria eleger alguma cantora do rádio carioca, a revista inventava um título sem regionalismos. Assim escolhia a Rainha do Rádio, por exemplo, uma soberana que reinava sobre todas as colegas, de qualquer rincão do Brasil. Quando tentava agradar São Paulo, não bastava eleger "a mais bela voz". Tinha que ser A Mais Bela Voz de São Paulo". Se não, as representantes da carioca Rádio Nacional ganhariam de lavada. Foi assim que Hebe e Isaurinha disputaram o título. Isaurinha — mesmo com sete sílabas no nome, duas a mais que as cinco que garantiam o sucesso — levou a melhor, sendo eleita com 35.517 votos. Hebe ficou em segundo lugar, com 29.336. Seguindo as duas, apareceram no resultado final o cantor João Dias, que nasceu em Campinas, com 28.220 votos (terceiro lugar); o cantor paulista Alfredo Moretti, com 14.212 (quarto lugar), e o apresentador niteroiense Manoel de Nóbrega, que seguiu o caminho inverso ao sair do Rio depois de largar os estudos de economia e fazer carreira artística no rádio paulista, com 8.640 (quinto lugar).

"UMA FAMÍLIA MUITO POBRE, MAS ALEGRE"

Contratada da Odeon desde 1946, Hebe estava em boa companhia. O elenco da gravadora era formado por cantores de prestígio como Dircinha Batista, Francisco Alves e Jamelão. O problema era o que gravar. Que compositor forneceria uma boa música para ela? A sorte é que, além de locutor, apresentador, roteirista e radioator, Ribeiro Filho se arriscava na profissão de compositor. Problema resolvido. Contrato com gravadora, Hebe já possuía. Faltava um sambinha, que o namorado prontamente lhe arranjou numa parceria com Esmeraldino Salles. "Oh! José" ficou sendo o lado A do primeiro dos 31 discos em 78 rotações da Hebe para a Odeon (o lado B era "Quem foi que disse", de Gabriel de Aguiar e Valladares do Lago).

José! José! José!
Por que é que você não quer ir falar com papai?
Ontem ele me disse:
"Esse rapaz ao cartório não vai"
E que o nosso amor também assim como vai não vai

O disco foi gravado e recebeu até crítica em jornal, mas não foi lançado imediatamente. Num recorte de *A Tribuna* de Santos, de 1947, guardado por Hebe, o crítico J. Pereira, titular da coluna "No mundo dos discos", faz sua avaliação: "Ouvimos as provas das primeiras gravações da estrelinha das Emissoras Associadas e ficamos deveras impressionados com a performance da vocalista paulista. Ela canta dois sambas: 'Oh! José', de Esmeraldino Salles e Ribeiro Filho, e 'Quem foi que disse', de Gabriel de Aguiar e Valladares do Lago. O disco, em ambas as gravações, está cem por cento perfeito. Hebe vocaliza os dois sambas com muita personalidade."

O crítico já conhecia o trabalho, mas o público teve de esperar três anos para ouvir as gravações da Hebe. A Odeon só as lançaria no catálogo de agosto de 1950, seis meses antes de colocar no mercado o segundo disco da cantora — uma gravação para o Carnaval ("Sem tambor e sem corneta", de Osvaldo Guilherme e Denis Brean, no lado A, e "Vou morrer de saudade", de Orlando Monello, José Roy e Sérgio Falcão, no lado B). Demorou tanto que ela e Ribeiro Filho não namoravam mais. E a história de Hebe Camargo já começara a ser contada no veículo que realmente a popularizaria. Não seria o rádio nem o disco, mas a televisão.

Hebe e a TV começaram a andar juntas antes mesmo de a televisão ser criada no Brasil. No dia 30 de janeiro de 1950, ela estava na caravana convocada pelo empresário Assis Chateaubriand, o dono dos Diários Associados, para receber, no Porto de Santos, os equipamentos que garantiriam o funcionamento, em São Paulo, da primeira emissora de televisão da América Latina. A TV Tupi, que seria inaugurada em setembro daquele ano, já podia contar em seu elenco com os funcionários das rádios Difusora e Tupi. E foi assim que partiram para o litoral os astros das Emissoras Associadas, entre eles a radioatriz Sarita Campos, o locutor Walter Forster e a cantora Hebe Camargo. Foi meio decepcionante, na verdade. As fotos da época mostram os artistas a bordo do cargueiro americano *Mormacyork*, ao lado de caixotes pouco fotogênicos. Ninguém sabia direito o que era televisão, e aqueles caixotes não ajudaram a entender. Mas não deixou de ser impactante para aqueles que participaram do evento. "Eu fiquei alisando as madeiras daqueles caixotes, emocionada", diria Hebe depois, ao descrever o acontecimento.

Praticamente não há imagens dos primeiros dez anos da TV. Não existia videoteipe e, diferentemente do que aconteceu nos Estados Unidos, não se criou aqui o costume de filmar os programas que iam ao ar ao vivo. Existe um filme que circula hoje nas redes sociais no qual Hebe, em dueto com o cantor Ivon Curi, interpreta "Noite de luar", de Alberto Ribeiro e José Maria de Abreu. É uma imagem rara, captada naquele 1950 para ser uma espécie de filme de propaganda da TV e exibido numa das muitas transmissões experimentais que antecederam a inauguração oficial. Mas esse filme costuma ser identificado como o registro de uma das cenas do show inaugural da TV, exibido na noite de 18 de setembro de 1950, com apresentação de dois astros do elenco da Difusora, Homero Silva, que comandava o *Clube do Papai Noel*, e a atriz Lia de Aguiar, que fazia sucesso interpretando mocinhas nas novelas do rádio. Embora estivesse escalada, Hebe não fez parte do espetáculo de inauguração da TV Tupi.

Hebe Camargo tinha sido escolhida para cantar o Hino da Televisão, composto por Marcelo Tupinambá e Guilherme de Almeida especialmente para a ocasião.

> *Vingou como tudo vinga*
> *O teu chão, Piratininga*
> *A cruz que Anchieta plantou*

Esses eram os primeiros versos. No dia da festa, Hebe alegou estar doente, pediu para a amiga Lolita Rodrigues substituí-la e não apareceu. Pouca gente assistiu a essa primeira transmissão. Por isso mesmo, ninguém mais sabe quem apareceu ou não no programa. Cálculos otimistas contabilizam que, na época, só existiam mil aparelhos de TV em São Paulo. E a grande maioria deles ainda estava à venda nas lojas de eletrodomésticos. Nas casas de família talvez houvesse duzentos televisores funcionando. Boa parte dos espectadores dessa transmissão estava reunida no Jockey Clube de São Paulo, em torno de uma dezena de aparelhos de TV. Eram os mil convidados de Chateaubriand, o grande dono da festa.

Durante alguns anos, Hebe manteve a versão de que tinha participado do show. Depois, começou a dizer que tinha ficado doente e transferido sua função para Lolita. Quase quarenta anos depois, quando deu a célebre entrevista para o programa *Roda Viva*, manteve a história da doença. "Peguei uma gripe muito forte. Foi quase uma pneumonia", inventou. Na verdade, ela trocou um posto de honra na história da televisão brasileira por uma noite ao lado do namorado, aquele de quem, por toda a sua vida, ela iria se lembrar como um homem que amou "loucamente".

CAPÍTULO 3

"FOI UM AMOR QUE PARECIA UM INFERNO"

Luís Ramos era jovem, rico, bonito e simpático. Hebe era jovem, exuberante e sedutora. Ele frequentava a boate do Lord Palace Hotel. Era natural que um chamasse a atenção do outro. Luís só não era considerado um bom partido porque carregava o estado civil de desquitado. E, na época, moça de família não dava atenção para homem separado. Se dava, ninguém podia saber. Luís Ramos mandou um bilhete para a *crooner* da boate, tentando uma aproximação. Hebe recebia vários bilhetes toda noite e nunca respondia. Mas, daquela vez, quis conhecer o pretendente. Agora é ela quem, numa entrevista muitos anos depois, descreve o que aconteceu: "Foi uma loucura! Paixão à primeira vista!"

Os Ramos eram três irmãos: João Baptista, José Nabantino e Luís. Em São Paulo, foram proprietários de três jornais diários — *Folha da Manhã*, *Folha da Tarde* e *Folha da Noite*, mais tarde, com novos donos, transformados na *Folha de S.Paulo* — e de uma estação de rádio, a Excelsior. Foi por causa de Luís que Hebe deu o cano na transmissão inaugural da televisão brasileira. No mesmo dia e na mesma hora da transmissão inaugural da televisão brasileira, as Lojas Assunção, tradicional varejista de eletrodomésticos e discos no centro da capital paulista, promoviam uma festa no Teatro Cultura Artística. A Assunção era uma anunciante importante da Rádio Excelsior. Desde 1943, patrocinava da *Parada de Sucessos*, primeiro programa do rádio brasileiro a se dedicar aos discos mais vendidos. Criada e apresentada pelo radialista Clóvis Azevedo, a *Parada de sucessos* tocava justamente os discos mais vendidos nas Lojas Assunção. Luís Ramos foi indicado pela família para representar a rádio na festa no Teatro Cultura Artística, e não podia faltar. Hebe achou que também deveria ir. Seria a acompanhante oficial do namorado, posto muito mais importante que o de cantar, num programa a que ninguém iria assistir, aquele hino de letra estranha.

> *Pois, dir-se-á, que ela ouve a cena*
> *Por uma altíssima antena*
> *Em que o cruzeiro posou*

O programa inaugural da televisão brasileira, com o título *TV na Taba*, entrou no ar às seis horas da tarde com a voz da radioatriz Yara Lins saudando os espectadores: "Senhoras e senhores, boa noite. A PRF-3 TV, Emissora Associada de São Paulo, orgulhosamente apresenta neste momento o primeiro programa de televisão da América Latina." Logo depois, seguidos por duas câmeras (uma terceira falhou exatamente na hora da transmissão), os apresentadores Homero Silva e Lia de Aguiar passaram a comandar o espetáculo. Durou duas horas, quase todas ocupadas por um roteiro escrito por Dermival Costa Lima e Cassiano Gabus Mendes.

O roteiro se baseava na ação de duas moças — as radioatrizes Helenita Sanches e Miriam Simone — indagando ao apresentador Homero Silva: "Que negócio é esse de televisão?" Homero respondia mostrando mais gente do *cast* das rádios, como a cantora Wilma Bentivegna, que ensaiava um número de música cubana. Em seguida, os comediantes Simplício, Geny Prado e Lulu Benencase encenavam um quadro humorístico, e os atores Walter Forster, Lia de Aguiar e Vitória de Almeida representavam uma cena romântica. Houve também a participação da poetisa Rosalina Coelho Lisboa, madrinha do evento, declamando um de seus trabalhos. Ah, sim. Entre o anúncio de Yara Lins e a aparição do casal de apresentadores, houve a atuação do maestro francês Georges Henry. Importado por Chateaubriand para dirigir o departamento musical da nova estação e apresentar uma das atrações da programação semanal inicial (*Antarctica no Mundo dos Sons*), Henry regeu a Grande Orquestra Tupi e o Coral Tupi, enquanto Lolita cantava o hino rejeitado por Hebe.

> *E te dá, num amuleto,*
> *O vermelho, branco e preto*
> *Das contas do teu colar*
> *E te mostra num espelho*
> *O preto, branco e vermelho*
> *Das penas do teu cocar*

Nos primeiros anos de vida da televisão ela e Hebe não se deram muito bem. Como todo mundo das rádios Tupi e Difusora,

Hebe fez testes para trabalhar no novo veículo e não passou. Sobrancelhas muito grossas e seios muito grandes pareciam manchas no vídeo, segundo a avaliação de Cassiano Gabus Mendes. Foi ele o diretor que organizou os testes realizados todas as tardes nos ainda não inaugurados estúdios de televisão na rua Sete de Abril, no centro de São Paulo.

Cassiano teve uma das carreiras mais brilhantes da televisão brasileira. Filho de Octávio Gabus Mendes, roteirista e diretor que atuava no cinema e no rádio, tinha 19 anos quando foi convidado pelo advogado baiano Dermival Costa Lima para ajudá-lo na tarefa de dirigir a estação de TV. Ninguém sabia fazer televisão. Era preciso confiar, então, em quem, pelo menos, sabia fazer rádio. Escolhido por Assis Chateaubriand, Dermival já era diretor das duas rádios associadas. Para acumular um terceiro cargo, só com ajuda. O único indicativo da capacidade de Cassiano era o talento de seu pai, companheiro de trabalho de Dermival na Tupi e na Difusora. Se pudesse, Dermival teria escolhido Octávio para o posto de primeiro ajudante, mas o amigo morreu cedo, aos 40 anos, antes de a TV Tupi existir. Dermival, assim, confiou na herança genética e apostou em Cassiano Gabus Mendes. E estava certo.

Na emissora, Cassiano foi o criador do *TV de Vanguarda*, teleteatro que fez história em São Paulo, e do *Alô, Doçura*, comédia romântica semanal com Eva Wilma e John Herbert, que se manteve no ar por onze anos. Foi ele quem teve a ideia de exibir *Beto Rockfeller*, telenovela que é considerada o marco de modernização do gênero. Foi ainda o autor de algumas das novelas de maior sucesso da Rede Globo, como *Que Rei Sou Eu?*, *Anjo mau* e *Locomotivas*. O único erro da carreira de Gabus Mendes parece ter sido sua avaliação do teste de Hebe. "Ela não tem imagem para a televisão", decretou.

Sem imagem para a televisão, só restava a Hebe continuar investindo em sua carreira de cantora do rádio. A Odeon fez sua parte lançando no mercado, entre 1951 e 1956, de três a seis discos de Hebe por ano. Ou de seis a 12 fonogramas a cada 12 meses. Não eram músicas diferentes das gravadas pelos outros cantores do período. Hebe sempre esteve, por exemplo, nos catálogos de Carnaval, como em 1952, quando gravou "Índio de bigode", marchinha de Francisco Alves, Orlando Monello e José Roy.

> *Lá na tribo Carijó*
> *Houve um forrobodó*
> *Foi um tal de nos acode*
> *Porque apareceu*
> *Um índio de bigode*

Não foi um sucesso retumbante. Talvez a canção mais importante gravada por Hebe nesses primeiros anos de contrato com a Odeon tenha sido a versão com letra de "Baião caçula", de Mário Gennari Filho e Felipe Tedesco, também de 1952. No ano anterior, Gennari tinha gravado com expressivo sucesso o mesmo baião em versão instrumental, só com seu acordeão. Posteriormente, Tedesco compôs a letra, que faz referência a "Maringá", outra gravação de sucesso de Gennari ("Eu já toquei/ Eu já cantei/ O lindo 'Maringá'"). Foram vendidas vinte mil cópias do disco, um bom número para a época. Ainda em 1952, ela gravou "Índia", a famosa guarânia paraguaia de José Asunción

Flores e Manuel Ortiz Guerrero, com letra em português de José Fortuna. Mas a versão lançada no mesmo ano por Cascatinha e Inhana vendeu mais de um milhão de cópias e relegou o disco de Hebe ao esquecimento. Era comum, naquele tempo, qualquer cantor ter, pelo menos, uma música de Natal no seu repertório. A de Hebe foi gravada em 1953 — "Boas festas", de Assis Valente, aquela do "eu pensei que todo mundo fosse filho de Papai Noel" —, sucesso desde 1932, quando foi gravada pela primeira vez por Carlos Galhardo. Sem dúvida, porém, o maior sucesso de Hebe nesse começo de carreira foi "São Paulo quatrocentão", o dobrado composto por Garoto, Chiquinho do Acordeon e Avaré para celebrar o IV Centenário de São Paulo, em 1954. Com quarenta mil cópias vendidas, Hebe chegou, enfim, às paradas de sucesso.

Oh, São Paulo!
Oh, meu São Paulo!
São Paulo quatrocentão
Oh, São Paulo!
Oh, meu São Paulo!
Você é o meu torrão

Em 1954, quando o dobrado gravado por Hebe entrou para a lista dos discos mais vendidos, já havia três emissoras de televisão em São Paulo. Além da pioneira Tupi (canal 3), à qual a cantora estava ligada por seus laços com os Diários Associados, surgiram a TV Paulista (canal 5), em 1952, e a TV Record (canal 7), em 1953. A Paulista pertencia a um deputado federal, Oswaldo Ortiz Monteiro, e funcionava de maneira inacreditável para os dias de hoje. Sua sede ficava em um apartamento na esquina da rua da Consolação com a avenida Paulista. Os estúdios eram improvisados na garagem do prédio. Na sala do apartamento funcionava o telejornalismo, cujos filmes eram revelados num laboratório montado na cozinha. Foi essa emissora que reconheceu o talento de Hebe para a TV. Mas isso só aconteceu quando Victor Costa entrou na história.

Paulista, Victor Costa era um homem de rádio que fez carreira na estação mais bem-sucedida de seu tempo, a Rádio Nacional do Rio de Janeiro. Ali, entre 1938 e 1952, foi ator, diretor do departamento de novelas e, no último ano, diretor-geral da emissora. Aos 46 anos, resolveu ser empresário. Largou a Nacional, voltou para São Paulo e deu a partida para montar um pequeno império de comunicações ao comprar a Rádio Excelsior — aquela mesma de Luís Ramos, o namorado da Hebe — e transformá-la na Rádio Nacional de São Paulo. Com uma única emissora, ele já se dizia dono das Organizações Victor Costa, a OVC. A Nacional paulista não tinha nada a ver com a homônima carioca, mas era uma maneira de Victor Costa mostrar suas intenções. Seu modelo era a rádio das novelas de Janete Clair, dos programas de auditório, como o de César de Alencar, dos fã-clubes que tentavam mostrar no grito que "a maior" era Emilinha Borba. Ou Marlene.

Em seguida, Costa tratou de contratar profissionais de renome que pudessem chamar a atenção para sua estação. Esse elenco ele foi buscar na Tupi e na Difusora. Foi assim que Sarita Campos, Walter Forster e Hebe Camargo — o mesmo grupo que, ironicamente, tinha ido ao porto de Santos acompanhar o desembarque da aparelhagem de TV dos Diários Associados

— transferiram-se para a nova Nacional. Para dirigir a operação, Dermival Costa Lima também foi roubado do elenco de Assis Chateaubriand. Pelo menos financeiramente, não existem dúvidas de que para Hebe, funcionária das Associadas por oito anos, a troca de emissora foi vantajosa. Dos 1.200 cruzeiros que ganhava por mês, passou para um salário de oito mil.

O namoro de Hebe e Luís Ramos continuava, mas nunca foi um romance tranquilo. Além de ser desquitado, Luisão (era assim que os amigos o chamavam) mantinha um relacionamento com outra mulher, de nome Manuelita. Hebe sabia do caso, mas acreditava que ele não resolvia a situação porque não podia. Ela se imaginava amada e esperava que um dia tudo se resolveria. E tentava esconder do público o namoro complicado. Nas entrevistas, dizia que era solteira e que estava à procura de um amor. Diante dos pais — os irmãos foram se casando e saindo de casa, mas ela continuava morando com seu Fego e dona Esther —, tentava contornar a situação. A mãe não aceitaria a ligação com um homem desquitado.

Hebe chegou a forjar um casamento com Luisão, numa espécie de satisfação à família. Numa viagem ao Rio de Janeiro com a mãe e o namorado, ela foi com os dois a uma missa na Igreja Santa Teresinha do Menino Jesus, em Botafogo. Quando o padre começou a cerimônia, ela e Luisão se dirigiram ao altar e ficaram lá, de pé, diante do sacerdote, enquanto a missa se desenrolava. Era uma maneira de fazer dona Esther acreditar que estavam se casando "no religioso".

A parada seguinte foi no Hotel Luxor, na avenida Atlântica, em Copacabana, onde o casal passaria "a noite de núpcias". Dona Esther não se conformava: "Mas eu não vi nada. Não vi casamento." Hebe se sentiu culpada: "Foi um drama. Mas eu amava o Luís e estava disposta a tudo."

Um pouco desse "tudo" aconteceu na volta a São Paulo. Fazendo valer seus direitos de "marido", Luisão passou a dormir na residência de Pinheiros, a casa dos sogros. Mas, como não tinha resolvido a questão com a outra mulher, acordava às quatro da manhã e se dirigia à casa de Manuelita. Quando dona Esther se levantava, estranhava não ver o "genro" em casa. Hebe dizia que ele tinha ido cedo para o jornal porque ocorrera "um defeito nas máquinas" ou "um problema com o papel". "Foi um amor que parecia um inferno", disse ela à *Playboy*, na única vez em que comentou publicamente essa confusão.

Se a vida doméstica não ia bem, o mesmo não se podia dizer da carreira. Enquanto o romance com Luisão se mostrava uma comédia de erros mal roteirizada, a saída das Emissoras Associadas deu novo gás à carreira da artista. Victor Costa logo percebeu que, já nos anos 1950, para ser mesmo influente no mundo das comunicações era fundamental ser dono de uma — se possível, de mais de uma — estação de TV. Foi o que ele tratou de fazer em 1955, comprando do deputado Oswaldo Monteiro a TV Paulista e transferindo os apertados estúdios do prédio na rua da Consolação para uma sede mais digna na rua das Palmeiras, no bairro de Santa Cecília.

Como já acontecia com os contratados da Rádio Difusora, que também trabalhavam na TV Tupi, os contratados da Rádio Nacional de São Paulo passaram a trabalhar também na TV Paulista. O contrato era um só. Na verdade, muito da programação — tanto da Tupi quanto da Paulista — era transmitida "em rede". Em outras palavras, ia ao ar ao mesmo tempo pelo rádio e pela

TV. Foi o que aconteceu, por exemplo, quando a Paulista, numa tentativa de demonstração de força contra as concorrentes Tupi e Record, trouxe para apresentações em São Paulo, em 1956, a célebre cantora francesa Edith Piaf. A artista cantou num auditório de rádio com transmissão para a TV. Ou vice-versa.

Provavelmente o primeiro programa da Paulista de que Hebe participou foi o *Musical Manon*, que ia ao ar nas noites de quinta-feira e era patrocinado por uma conhecida loja de instrumentos musicais. Hebe era a principal atração do show apresentado por Roberto Corte Real. Em suas apresentações no rádio, a artista tinha uma característica que manteve na televisão. Ela não se limitava a cantar a música que tinha ensaiado. Gostava sempre de introduzir a canção com "uma historinha". Falava dos compositores, falava por que tinha gravado aquela canção, falava do que sentia quando a interpretava... Numa semana em que ficou doente, Corte Real indicou Hebe para substituí-lo. Ele percebeu que, com aquele jeito de entreter o público, Hebe poderia muito bem apresentar um programa de televisão.

Deu certo, e Corte Real preferiu não voltar: achou que Hebe comandava o programa melhor do que ele. Foi assim que Hebe Camargo virou apresentadora. Ouvindo também as "historinhas" de Hebe no *Musical Manon*, Walter Forster, um dos artistas que vieram com ela das Associadas, percebeu que a moça poderia dar certo num programa em que nem precisasse cantar. E criou uma atração para a colega entrevistar personalidades do mundo artístico e da política.

Forster não precisava fazer mais nada para ter seu nome impresso na história da televisão brasileira. Em 1951, ele havia escrito para a TV Tupi a novela *Sua Vida me Pertence*. Foram só 15 capítulos, mas estava lançada a primeira novela da nossa TV. Além de autor, Forster foi o galã da atração, o que lhe garantiu o feito de ter dado o primeiro beijo na boca transmitido pela TV no Brasil (sua parceira foi a atriz Vida Alves). Mas, agora na Paulista, e só com sua intuição, ele estava prestes a ser responsável por mais um capítulo importante: lançar Hebe Camargo como entrevistadora.

Com o nome de *O Mundo É das Mulheres*, o programa era o que hoje se definiria como um talk show. A cada semana, um entrevistado se submetia a uma bateria de perguntas. A originalidade é que a entrevista era feita por um grupo de mulheres — quatro ou cinco no máximo —, e o entrevistado tinha de ser um homem. A última pergunta era sempre a mesma: "O mundo é das mulheres?"

Hebe era a apresentadora oficial. Pela primeira vez, num programa de TV ou de rádio, ela não cantava. Apenas comandava a entrevista. Suas colegas se revezavam entre atrizes, cantoras e garotas-propaganda da Paulista. As mais frequentes eram Eloísa Mafalda, Lourdes Rocha, Wilma Bentivegna, Elza de Aguiar, Yara Lins e Cacilda Lanuza. Com patrocínio do Café Americano, "o que agrada a milhões", *O Mundo É das Mulheres* estreou em setembro de 1955, tendo como convidado o então prefeito de São Paulo.

Juvenal Lino de Matos teve uma carreira política sem muito destaque entre o fim dos anos 1940 e o começo dos anos 1970. Foi deputado estadual e senador antes de eleger-se, em 1955, para a prefeitura de São Paulo. Mas será sempre lembrado como o primeiro entrevistado de Hebe Camargo em sua carreira na televisão.

Desde a estreia, *O Mundo É das Mulheres* mostrou ter prestígio com políticos e artistas. Entre seus primeiros convidados estavam Adhemar de Barros, na época candidato a prefeito derrotado de São Paulo, o poeta Vinicius de Moraes, que estava lançando a parceria com Tom Jobim no musical *Orfeu da Conceição*, e o deputado federal Nelson Carneiro, já um defensor da causa pela legalização do divórcio no país.

Mas o que transformou a atração em sucesso instantâneo foi a personalidade de Hebe. Transmitido nas noites de quarta-feira, pelo rádio e pela TV, diretamente do auditório da Rádio Nacional de São Paulo, o programa apresentou para o público uma mulher descontraída, de raciocínio rápido, piadista, brincalhona, divertida, dona de uma risada contagiante. Não era esse o perfil dos entrevistadores de televisão nos primórdios. Geralmente eram homens formais, com linguagem empostada. Uma gargalhada diante do entrevistado poderia ser vista como desrespeito. Hebe contrariou todas as normas que estavam sendo criadas para uma entrevista na televisão e tornou o gênero mais atraente. Pode-se dizer também que, pela posição que uma artista do sexo feminino ganhava ao comandar um talk show, *O Mundo É das Mulheres* foi o primeiro programa feminista da televisão brasileira.

Para se ter uma ideia do clima que Hebe ajudava a criar para seus convidados, basta lembrar a entrevista que fez, em dezembro de 1956, com o deputado Tenório Cavalcanti, "o homem da capa preta". Tenório era um político polêmico e violento que tinha sua base eleitoral na Baixada Fluminense. Temido, usava sempre uma capa preta e portava uma metralhadora, que chamava de Lurdinha. Pois Hebe o recebeu também vestindo uma capa preta. Desarmou o entrevistado antes de a entrevista começar. A capa que assustava os inimigos virou uma fantasia de Carnaval. A entrevista começou e terminou às gargalhadas. Não dava para levar Tenório a sério. E Hebe não levou.

É fácil perceber hoje o impacto que a estreia de Hebe como apresentadora causou. Em 1956, ela completava 12 anos como cantora profissional sem nenhum prêmio na prateleira. Naquele ano, quando *O Mundo É das Mulheres* entrou no ar, recebeu o Troféu Roquette Pinto como Melhor Apresentadora da Televisão. Organizado pela Associação dos Cronistas Radiofônicos do Estado de São Paulo, o Roquette Pinto premiava, desde 1950, os melhores profissionais do rádio. A partir de 1952, passou a premiar também os melhores da TV. Foi distribuído com regularidade por 19 anos. Nesse período, sempre foi considerado o principal prêmio da televisão brasileira. Depois daquele primeiro prêmio, em 1956, Hebe levou o troféu na categoria de apresentadora mais onze vezes. Foi eleita a Melhor Apresentadora ou a Melhor Animadora ou a Melhor Comunicadora praticamente todos os anos em que esteve no ar.

Já apresentadora premiada, Hebe teve outras surpresas no ano de 1957. Ela viu ser lançado, por exemplo, *Festa de ritmos*, seu primeiro LP — a sigla pela qual ficou conhecido o *long-play* no Brasil. O *long-play* já não era novidade por aqui: tinha chegado às lojas, em 1951, três anos depois de aparecer nos Estados Unidos, com disposição para revolucionar o mercado fonográfico. O primeiro disco no novo formato, *Carnaval em long-playing*, do selo Capitol/Sinter, trazia marchinhas e sambas para serem cantados no Carnaval daquele ano. O disco de vinil, girando nas vitrolas a 33 rotações por minuto, vinha substituir o cansado 78 rotações, de acetato, que quebrava à toa e ao menor descuido ficava arranhado, prejudicando a qualidade de sua reprodução. O LP era vendido como "inquebrável". Mas não "pegou" imediatamente por aqui. O segundo LP só chegou às lojas um ano depois do primeiro. Por isso mesmo, até a época em que *Festa de ritmos* foi lançado, o público continuou a preferir os surrados 78 rotações. Era preciso comprar uma nova aparelhagem de som para ouvir os recém-lançados discos. E não havia muitos títulos disponíveis. O consumidor, então, manteve-se fiel aos velhos acetatos de 78 rotações. E as gravadoras continuaram a fabricá-los.

A grande vantagem do LP era a possibilidade de armazenar mais tempo de gravação em cada lado. No acetato só cabiam duas músicas, uma de cada lado; no vinil de dez polegadas cabiam oito, quatro de cada lado. Demorou, mas a possibilidade de colocar um disco na vitrola e ouvir quatro canções de uma só vez, sem precisar mudar o lado ou trocar o disco, acabou por convencer o consumidor. Em 1957, o disco de vinil já era uma realidade do mercado. A novidade, enfim, tinha sido aceita. Só não havia nada de novo no repertório da estreia de Hebe no LP.

Nenhuma das oito faixas do disco foi gravada por Hebe para aquele lançamento. Com exceção de "Índia", que ela havia gravado em 1952, a Odeon, na verdade, fez uma compilação com registros da cantora para lançamentos em 78 rotações feitos nos três anos anteriores — 1954, 1955 e 1956. O título *Festa de ritmos* não foi escolhido por acaso: o LP é uma confusão de gêneros que não indica em que tipo de artista a gravadora estava investindo.

Festa de ritmos abria com uma canção de Bob Merrill ("Mambo italiano", grande sucesso no ano anterior com a cantora americana Rosemary Clooney que, na versão da Hebe, ganhou letra de Júlio Nagib). Seguiam uma toada ("Custô pra arranjá", de Antonio Rago e João Pacífico) e uma guarânia ("Índia"). O lado A fechava com o que a gravadora classificou como "bailarico" ("Festa portuguesa", de Antonio Rago e Mário Vieira, com Hebe caprichando no sotaque da terrinha). O lado B começava com um bolero ("Meu último fracasso", de Alfredo Gil, em versão de Júlio Nagib). Continuava com um samba cadenciado, no estilo dos que ela gostava de ouvir Carmen Miranda cantar ("Tim-tim por tim-tim", de Portinho e W. Falcão, sem dúvida a melhor faixa do disco) e uma canção romântica ("O que eu quero dizer ao seu ouvido", de Hekel Tavares e Mendonça Jr.). O disco era fechado com outro mambo ("Sim ou não", de Mário Gennaro Filho e Joamar).

Na contracapa, em texto anônimo, a Odeon tentava justificar a miscelânea de estilos: "Hebe Camargo — a notável estrela do rádio e da televisão — alcança, presentemente, um ponto alto na sua carreira em gravações de discos. Sendo uma das mais categorizadas intérpretes da música popular em nossa terra, Hebe é um nome que garante sempre um bom número, tanto na escolha cuidadosa do repertório como na sua expressiva atuação. Neste álbum, temos a oportunidade de ouvir Hebe Camargo nas mais variadas facetas de seu vasto poder de interpretação. Tanto nas melodias dolentes ('O que eu quero dizer ao seu ouvido' e 'Índia', por exemplo) como nas composições de ritmo contagiante (como 'Mambo italiano', 'Tim-tim por tim-tim' e 'Sim ou não'), a grande classe da popular cantora paulista é mantida de maneira consagradora. Mas não percamos tempo com palavras escritas: a voz de Hebe Camargo deve ser ouvida imediatamente nesta colorida e variada 'festa de ritmos.'"

Dava a impressão de que Hebe atirava para todos os lados, num disco sem coerência. O LP não ajudou em nada a carreira de cantora que ela vinha tentando manter havia mais de dez anos, e talvez tenha impulsionado mais um pouco sua trajetória como apresentadora. Comandando programas na TV, era uma artista premiada. Gravando discos, estava se tornando uma cantora sem personalidade.

Também foi em 1957 que Hebe conseguiu um financiamento na Caixa Econômica, ficando com uma dívida que lhe consumiria 9.200 cruzeiros por mês, mas que, aos 28 anos, lhe valeria sua primeira casa própria, a de número 427, na rua Petrópolis, no bairro do Sumaré. O fato foi comemorado em reportagens nas revistas especializadas da época. Uma delas descreveu o imóvel: um hall, três salas, três "enormes" dormitórios, dois banheiros, garagem, quarto de empregada, quintal com árvores frutíferas, um "belo" jardim gramado. Hebe deixou Pinheiros e se mudou para a casa nova do Sumaré com os pais.

Foi 1957 ainda o ano no qual Hebe fez sua primeira viagem internacional. Ela ganhou férias da TV Paulista em setembro. Tirar férias ainda não era um hábito frequente na televisão. No começo de tudo, quem fazia sucesso não podia sair do ar, pois um canal concorrente aproveitaria a chance para lançar atrações que ameaçassem os índices de audiência já conquistados. Ser substituído era outra ameaça: e se a troca caísse no gosto do público? O jeito era emendar trabalhos, um ano após o outro, enquanto cada programa tivesse fôlego para se manter no ar.

Mas havia um motivo forte para Hebe querer sair de cena, e ela anunciou esse motivo numa surpreendente entrevista concedida à repórter Lyba Friedman na edição de 28 de setembro de 1957 da revista *Radiolândia*. De repente, do nada, a Hebe que não tinha namorado, a Hebe que estava à procura do amor, a Hebe que ainda morava com os pais, revelava que era casada e que estava saindo, com um atraso de oito anos, em lua de mel.

"Unida ao Sr. Luís Ramos, ex-diretor da Rádio Excelsior, hoje em dia inteiramente afastado das atividades radiofônicas, a cantora e animadora Hebe Camargo considera-se uma mulher feliz." Começava assim o texto da reportagem. Hebe assumia publicamente pela primeira vez a união com Luisão. E revelava os planos de um casal que, pelo que ela dizia agora, já estava junto desde 1949: "Ou melhor, falta muito pouco para que essa felicidade seja completa. Em primeiro lugar, um bebezinho, coisa que casais de todos os quadrantes desejam. Em segundo, uma viagem de lua de mel, já que as atividades de ambos impediram que até hoje tal desejo fosse concretizado. Só agora que interesses comerciais chamam Luís Ramos à Feira do Texas é que ambos realizarão a tão sonhada viagem."

Luisão também era fazendeiro e assíduo frequentador dessa feira. Hebe ia pegar carona na viagem. A ideia era passar um mês nos Estados Unidos e outro mês na Europa. "É sabido que a estrela das Organizações Victor Costa não gosta de abordar sua vida particular", continuava o texto. "Mas agora que trata ativamente dos papéis e de outros detalhes do cruzeiro que pretende realizar, Hebe Camargo não se esquiva de revelar aos leitores seus planos para o futuro imediato: 'Logo depois de terminada a Feira do Texas, meu marido e eu pretendemos percorrer alguns estados norte-americanos. Depois, Londres, Paris, Roma, Espanha, Lisboa e novamente São Paulo.'" Era a primeira vez que Hebe falava em "meu marido" na imprensa.

Os jornalistas só voltaram a se interessar por Hebe quando a estrela da TV Paulista efetivamente voltou da viagem ao exterior. E a Hebe que chegou não foi a mesma que tinha partido dois meses antes. "Conheci muita coisa bonita. Fiquei felicíssima em conhecer a América", disse ela à mesma *Radiolândia* em dezembro. Era, definitivamente, uma Hebe diferente. "Também pretendia visitar alguns países da Europa, mas não foi possível. O cansaço e a saudade do Brasil e dos meus familiares não deixaram." Nenhuma palavra sobre o "marido".

A Hebe que desembarcou aqui era outra. O roteiro americano descrito por ela na revista incluía Dallas, Miami, Denver ("no Colorado", explicou), Nova Orleans, Chicago, Detroit, Niagara Falls ("uma beleza", avaliou), Tampa, Waco e Nova York. Era uma Hebe que tinha ficado espantada por ter esbarrado com a rainha Elizabeth II, do Reino Unido, durante uma caminhada pela Quinta Avenida para olhar vitrines. Era também uma Hebe que se mostrava deslumbrada com as lojas de departamento americanas ("Quando entrava numa delas às nove da manhã, só conseguia sair às cinco da tarde"). Enfim, uma Hebe impressionada com o aparato técnico de *My Fair Lady*, o musical que estreara no ano anterior, a que ela tinha assistido na Broadway. Mas nada disso levou as pessoas que foram esperar Hebe na chegada, em Santos, a associar essas questões ao fato de ela estar realmente mudada. A grande diferença era evidente ao olhar. Hebe desembarcou pesando seis quilos a mais. E loura. Inteiramente loura. Moreninha do samba, nunca mais.

CAPÍTULO 4

"ADEUS, MEU AMOR, SERAFIM"

Leonor Teixeira nasceu e passou a vida inteira em Santos, no litoral paulista. Ela tem a mesma idade que Hebe teria se fosse viva. Lembra-se da reação de seu pai ao ouvir Hebe pela primeira vez no rádio e guardou as palavras dele: "Essa menina vai longe." Isso foi em 1946. Quando, logo depois, viu o anúncio de que Hebe estaria em Santos, quis conhecê-la. Era um show ao lado de Wilma Bentivegna no Cine Atlântico, o cinema da Praça da Independência que, de vez em quando, trazia artistas de São Paulo para apresentações ao vivo. Wilma e Hebe tiveram seus caminhos cruzados no começo da carreira. As duas nasceram no mesmo ano. Cantaram profissionalmente pela primeira vez quase crianças, na Rádio Difusora. Para as duas, o primeiro contrato com uma gravadora foi com a Odeon. E, com a chegada da televisão, destacaram-se em atividades que não tinham nada a ver com a trajetória de cantora: Hebe como apresentadora; Wilma como atriz de telenovelas.

Hebe foi escalada, e Wilma estava no elenco do programa que inaugurou a TV brasileira. As duas foram contratadas na mesma ocasião pela TV Paulista e pela Rádio Nacional de São Paulo. O primeiro prêmio que ambas receberam foi o mesmo: o Roquette Pinto. Hebe como animadora; Wilma como atriz revelação. Na época em que Hebe voltou de sua primeira viagem aos Estados Unidos, Wilma, enfim, estava estourando em todo o país com a versão feita por Ribeiro Filho — o ex-namorado de Hebe! — para "A canção de Marcelino", o sucesso internacional de Pablo Sorozábal e José María Sánchez-Silva, da trilha sonora do filme espanhol *Marcelino pão e vinho*. Mas ali, no Cine Atlântico, elas estavam só começando. Leonor poderia ter se tornado fã de Wilma. Mas ficou fã de Hebe. A fã número 1.

Como fã dedicada, Leonor passou a recortar e colar num álbum todas as notícias que saíam na imprensa sobre seu ídolo. Quando o primeiro álbum ficou pronto, cobrindo quatro ou cinco anos da carreira da Hebe, ela o deu de presente para a cantora. Hebe adorou. O álbum de Leonor era formado, principalmente, por notícias publicadas no jornal *A Tribuna* de Santos e em periódicos que chegavam com facilidade às bancas da cidade, como a *Revista do Rádio*. Hebe passou a alimentar a coleção de Leonor com jornais e revistas do Rio e de São Paulo. Como resultado, teve toda a sua vida registrada em vinte volumes que Leonor carinhosamente produziu até 2012. Todos cuidadosamente guardados por Hebe.

A dedicação de Leonor tornou os laços que a uniram a Hebe mais fortes do que os que normalmente unem fã e ídolo. Elas ficaram amigas. Leonor guarda até hoje os dois cartões-postais que recebeu da Hebe durante a viagem aos Estados Unidos. Um veio de Dallas ("Aqui estou me divertindo muito, com muitas saudades das minhas amigas do Brasil"); o outro de Nova York ("Pois é, Leonor, já estou na hora de voltar, e não é sem tempo, pois a saudade é imensa").

Leonor estava no cais quando o *SS Brasil*, da Moore-McCormack Lines, atracou no porto de Santos. E se lembra de sua surpresa. "Foi um choque. Ela estava loura! Mas estava linda!" Muitos anos depois, Hebe explicou com singeleza como aderiu ao visual que marcou o resto de sua vida. "Eu estava em Nova York com o Luís Ramos e vi aquela mulherada toda loura", disse, numa entrevista no programa de TV da Eliana, em maio de 2012. "Nossa, que coisa linda são essas mulheres, pensei. Comecei então a passar água oxigenada na parte de cima do cabelo e gostei."

É bom lembrar que Marilyn Monroe, outra loura falsa bem-sucedida, estava no auge da carreira com o sucesso do filme *O pecado mora ao lado*. Mas o fim da Hebe morena talvez tenha um significado maior que a mera imitação das louras que vira em Nova York, ou da loura que admirava no cinema. Ao mesmo tempo que mudava a cor dos cabelos, Hebe rompia com o passado, encerrando o relacionamento com Luís Ramos.

"Acabou por falta de força", explicou Hebe em entrevista à *Playboy*. Depois de oito anos com Luisão, Hebe ficou grávida. Ao mesmo tempo, descobriu que Manuelita, a outra amante, também esperava um filho dele. Ele já tinha uma filha da primeira esposa, a oficial. E, se Manuelita ficou grávida, parecia um sinal de que o empenho de Luisão em se separar dela não era tão grande assim. "Eu não aguentava mais aquela situação. Estava ficando doente." Diferentemente do que aconteceu quando terminou com Ribeiro Filho, de Luisão ela falou para o resto da vida. Talvez também tenha voltado para casa e chorado a noite toda, mas no dia seguinte já se referia a ele — às vezes omitindo seu nome, às vezes o identificando com nome e sobrenome — como "uma paixão louca".

Ela tocou no assunto da gravidez quando foi entrevistada pelo *Roda Viva*. O escritor Ruy Castro foi direto: "Você já fez algum aborto?"

Era uma pergunta difícil, mas ela não hesitou em responder, referindo-se à peculiar situação na qual Luisão a envolvera. "Eu fiz. Fiz justamente porque achei que era uma coisa muito delicada esse filho ter irmã de um mesmo pai com outra mulher, outra irmã com outra mulher, outra irmã com outra mulher... Essa criança ia ficar com uma cabeça tão louca que ela ia ficar sem saber... 'Em que mundo eu estou?' Naquela época, então... Eu acho que é uma coisa muito pessoal. Eu não aconselho as pessoas a fazerem. Eu não aconselho. Acho que é uma coisa que cada um tem que saber o que deve fazer. É uma coisa de conscientização própria."

Se a vida amorosa não ia muito bem, na televisão Hebe adquiria status de estrela da Paulista. Além de *O Mundo É das Mulheres*, outros programas passaram a fazer parte de sua rotina. A emissora sempre pensava no nome dela quando precisava de um apresentador para um novo projeto ou para substituir algum artista que não estava dando certo. Houve um momento em que Hebe apresentou, simultaneamente, cinco programas diferentes.

Às segundas-feiras, era ela a apresentadora do show de variedades *Espetáculos Piraquê*, função que herdou da colega Angela

Maria, que, apesar do talento como cantora, nunca teve descontração para comandar uma atração na TV. Às terças, Hebe animava *Com a Mão na Massa*, um programa de auditório com prêmios e sorteios. Quarta-feira era o dia do já tradicional *O Mundo É das Mulheres*. Às quintas, ela continuava no *Musical Manon*, que mudou de patrocinador e se transformou no *Encontro Musical Aliança*. Às sextas-feiras, era a vez de *Maiôs à Beira-Mar*, que, apesar do título, tinha como objetivo aproveitar o estúdio com piscina da emissora. Hebe entrevistava convidados do meio artístico, cantores se apresentavam, um balé aquático se exibia e garotas circulavam em torno da tal piscina — ou à beira-mar — vestindo maiôs. Enfim, no domingo, ela estava à frente do *Calouros Toddy*, o primeiro programa de calouros de sucesso da TV brasileira.

Criado pelo compositor Ary Barroso, que já tinha grande audiência no comando de programas do gênero no rádio, o *Calouros Toddy* foi, durante um tempo, exibido no Rio e em São Paulo. O apresentador se dividia entre as duas cidades. Cansado de tantas viagens, Ary abandonou o programa paulista, dedicando-se apenas ao carioca. A Paulista, então, chamou Hebe para substituí-lo. Quando perdeu o patrocinador, passou a se chamar *Calouros em Desfile*. Além dos cinco programas semanais, ela também era chamada para emergências. Quando o comediante Manoel de Nóbrega entrou de férias, Hebe se sentou no banco e conduziu, por alguns meses, o humorístico *Praça da Alegria* — o mesmo que ainda está no ar com o título de *A Praça É Nossa* e com Carlos Alberto de Nóbrega, filho de Manoel, na apresentação.

Hebe era convocada até pelo setor de teledramaturgia. Estreou no gênero numa adaptação da peça americana *Mulheres*, de Claire Boothe, dirigida por Cláudio Petraglia e levada ao ar na noite de 11 de janeiro de 1958. Produzida na Broadway em 1936, *Mulheres* cumpriu longa temporada em cartaz graças a um truque dramatúrgico. O texto fala de homens, mas todas as personagens são femininas. E são muitas. A decisão de uma socialite de se divorciar ao descobrir que o marido a traía move a trama. A Paulista reuniu todas as suas estrelas para interpretar a comédia. Ao lado de Bárbara Fazio, Yara Salles, Maria Helena, Judy, Mary Gonçalves, Cacilda Lanuza e Lourdes Rocha, Hebe interpretava a amante. A crítica de Mário Júlio Silva publicada na *Revista do Rádio* de 8 de fevereiro daquele ano analisa a sua interpretação. "A estreante Hebe Camargo não estava muito segura de seu papel, embora atuasse com naturalidade e desembaraço na cena em que chegou às vias de fato com Yara Salles."

Cada vez mais apresentadora — e até, eventualmente, atriz — e cada vez menos cantora, Hebe resolveu dar um gás em sua carreira musical apostando numa mudança radical. Em 1958, trocou de gravadora. Depois de onze anos na Odeon, a mais antiga gravadora do país, ela fez um balanço para concluir que a relação não estava bem resolvida. Para a gravadora, Hebe não se tornara uma grande vendedora de discos. Para Hebe, seus discos não tinham grande qualidade artística. Foi para a RGE, uma empresa brasileira especializada em gravações de jingles publicitários, mas que, dois anos antes, tinha chamado a atenção do mercado ao lançar o primeiro LP de Maysa.

Naquele 1959, dois gêneros eram os preferidos da indústria fonográfica. Desde o lançamento, no ano anterior, do disco de Elizeth Cardoso *Canção do amor demais*, com a gravação antológica de "Chega de saudade", de Tom Jobim e Vinicius de Moraes, a bossa nova atraía os produtores musicais. A outra mania era o rock, gravado pela primeira vez no Brasil, em inglês mesmo, por Nora Ney, em 1955 ("Rock Around the Clock"). Três anos depois, o rock ainda era considerado "o gênero do momento".

Não era difícil avaliar o que servia melhor à voz quente e afinada de Hebe. Ela provaria, algum tempo depois, que seu estilo se adequava ao repertório de Tom e Vinicius. Mas a RGE preferiu acreditar que o caminho certo seria o rock e tentou transformá-la numa concorrente de Celly Campello.

Aos 17 anos, a paulistana Celly, que tinha sido criada na Taubaté de Hebe, já possuía seu próprio programa de televisão (*Celly e Tony em Hi Fi*, na TV Record, cuja apresentação dividia com o irmão, o também cantor Tony Campello) e era um estouro absoluto nas paradas de sucesso com o rock "Estúpido cupido", uma versão de Fred Jorge para o hit americano "Stupid Cupid", de Neil Sedaka e Howard Greenfield. Era a mais nova sensação da gravadora Odeon. Para transformar Hebe numa estrela do disco também, a RGE procurou um novo "Estúpido cupido".

A gravadora brasileira lançou um compacto duplo (dez polegadas, em vinil, duas músicas de cada lado) com um repertório eclético. O disco chamava-se *Hebe canta e encanta* e trazia dois sambas-canções pouco expressivos, "Resignação" de Plínio Metropolo e "Tempo não apaga amor" de Enrico Simonetti e C. Galvão. Tinha também um chorinho, "Flor de abacate" de Álvaro Sandim e Felipe Tedesco. Mas o grande investimento era na primeira faixa do lado A (também lançada em 78 rotações, em acetato), "Serafim". Numa versão de Clímaco César, "Serafim" era um rock alemão de Heinz Gietz e Kurt Feltz, originalmente chamado de "O, Josephin". Para manter a rima, o Josephin alemão virou Serafim no Brasil e fez Hebe cantar uma bobagem com versos como:

> *Tchau, tchau*
> *Tchau, tchau*
> *Adeus, não te esqueças de mim, ai*
> *Tchau, tchau*
> *Tchau, tchau*
> *Adeus, meu amor, Serafim*

O resultado foi tão ruim que, no disco seguinte, Hebe já estava de volta à Odeon.

A virada para os anos 1960 encontrou Hebe com algumas frustrações. Já com 30 anos, ainda solteira, continuava adiando o começo da formação da família que ela idealizava com, pelo menos, dois filhos. Já tinha anunciado, mais de uma vez, que, por um bom casamento, largaria a carreira artística. Uma estrela do disco ela, definitivamente, ainda não era. Estrela da televisão... Hebe era, sem dúvida, uma estrela da TV Paulista, mas a Paulista era a emissora de menor audiência em São Paulo. Em 1960, já havia também a TV Excelsior, no canal 9, que, em pouco tempo, igualou-se às concorrentes Tupi e Record, deixando a Paulista para trás. A morte prematura de Victor Costa, em 1959, trouxe mais insegurança para o destino da estação. Mas justamente naquele 1960, com mais ou menos 15 anos de carreira, Hebe começou a renovar as cartas de seu jogo artístico.

Como se tivesse a intenção de marcar uma nova fase de sua trajetória, Hebe aceitou fazer uma participação num filme em que trabalharia ao lado de um parceiro do passado e de outro do futuro. Era uma comédia, *Zé do Periquito* de Mazzaropi, o velho companheiro na Brigada da Alegria. Na cena criada para ela, Hebe cantaria uma música composta especialmente para a ocasião — "Passe a viver" de Heitor Carillo — em dueto com Agnaldo Rayol, na época um jovem cantor com quem voltaria a se apresentar muitas vezes na TV. A música nunca foi gravada em disco.

Em compensação, naquele mesmo ano, Hebe gravou 12 novas canções no disco que a levou de volta para a Odeon e que, enfim, trazia um repertório mais de acordo com o que ela realmente gostava de cantar. *Sou eu* era o nome do LP, de 12 polegadas, daqueles que tinham seis músicas de cada lado.

Acompanhada pela orquestra de Francisco Moraes e pelo conjunto e coro de Mário Gennari Filho, Hebe abria o lado A cantando "Quem é", registrado pela gravadora como rock-balada, de Oldemar Magalhães e Osmar Navarro. Foi a faixa de maior sucesso do pacote, lançada também em compacto simples e compacto duplo. Em seguida vinha o samba "Cupido não falhou" de Mário Gennari Filho e Maria Angelina; o samba "Conversa" de Evaldo Gouveia e Jair Amorim; outro rock-balada, "Lua escura", de N. Miller, versão de Júlio Nagib; o samba-canção "Encontro com a saudade" de Billy Blanco e N. Queiroz; e o samba "Ausência de você" de Sérgio Ricardo.

O lado B iniciava com "Cantiga de quem está só" de Evaldo Gouveia e Jair Amorim; e continuava com um terceiro rock-balada, "Creia", de Osmar Navarro e Álvaro Franco; o calipso "Melodia italiana" de Pinchi e D. Donida, versão de Augusto César; o fox-balada (quando a gravadora não sabia identificar o gênero, inventava) "Hino ao amor" de Edith Piaf e Marguerite Monnot, versão de O. Marzano; o samba-canção "A canção dos seus olhos" de Pernambuco e Antônio Maria; e o samba "Mundo mau" de Sidney Morais e Júlio Rosemberg.

Só com fonogramas inéditos, este bem pode ser considerado o primeiro LP de Hebe. Até então, tecnicamente, era o seu melhor disco. Os arranjos do maestro Francisco de Moraes, que se tornaria um craque na área já conhecido como Chiquinho de Moraes, trabalhando com Elis Regina e Roberto Carlos, entre outros, deram a *Sou eu* a unidade que faltou a *Festa de ritmos*. Na maior parte das faixas, Hebe se mostrou como a cantora de rádio das décadas de 1940 e 1950, que forçava os erres e esses e não deixava de exibir o seu grave poderoso. Os três rocks-baladas podem ser justificados pelo fato de o mesmo maestro ter feito os arranjos de "Banho de lua" e "Estúpido cupido", os dois maiores sucessos de Celly Campello. O surpreendente mesmo era que Hebe se mostrava uma cantora moderna em grande parte do LP, namorando com o jeito intimista de cantar da bossa nova. Isso pode ser notado principalmente no lado A, em "Cupido não falhou", "Encontro com a saudade" e "Ausência de você". Pode-se concluir que não foi por acaso que o maestro Chiquinho de Moraes incluiu uma citação; a "Fotografia" ("Eu, você, nós dois, aqui nesse terraço à beira-mar") de Tom Jobim, na introdução de "Encontro com a saudade". Mas *Sou eu* foi importante basicamente porque renovou o repertório de Hebe para o novo desafio que ela se propôs a enfrentar: expandir seu trabalho na televisão para além das fronteiras de São Paulo.

Ainda naquele ano de 1960, Hebe diminuiu suas aparições na TV Paulista — mantendo apenas o carro-chefe *O Mundo*

É das Mulheres, nas noites de sexta-feira, e o *Calouros Cristal* (mudou o patrocinador), nas noites de domingo —, passou a estrelar programas em Porto Alegre, Curitiba e Recife e fez uma longa temporada na televisão do Rio de Janeiro. Até 1959, só havia duas emissoras de TV na capital fluminense: Tupi e Rio. Nesse ano foi criada a TV Continental. Dermival Costa Lima, o amigo que já havia dirigido a Tupi de São Paulo e a Paulista, foi contratado para dirigir a Continental. Levou com ele a mulher, Sarita Campos, que apresentava programas femininos, e duas estrelas do canal 5 paulista, Walter Forster e Hebe Camargo. Forster produzia, dirigia e interpretava, ao lado de Yara Lins, *Intimidade,* uma comédia romântica semanal. Hebe importou o esquema que dava certo em São Paulo. Às quartas-feiras, apresentava o *Encontro Musical com Hebe Camargo*; às quintas, *O Mundo É das Mulheres*. Pouco tempo depois, o *Encontro musical* virou *Hebe Comanda o Espetáculo*.

O programa musical tinha uma fórmula. Começava com Hebe interpretando uma canção. Em seguida, entrava em cena um convidado que cantava sozinho. A música seguinte era interpretada pelos dois. O convidado voltava para fazer um número solo. E, no fim, Hebe se despedia com mais uma canção. Já *O Mundo É das Mulheres* não inventava nada. Simplesmente repetia o que dava certo em São Paulo.

Patrocinada pela companhia aérea Varig ("a pioneira"), a versão carioca de *O Mundo É das Mulheres* estreou no dia 22 de dezembro de 1960, entrevistando o dramaturgo Nelson Rodrigues. Na equipe de entrevistadoras estavam a garota-propaganda Riva Blanche e as atrizes Thereza Amayo e Miriam Pires. Passaram pelo programa, como convidados, o radialista Manoel

Barcellos, o colunista Jacinto de Thormes, o político Tenório Cavalcanti, que já tinha sido entrevistado em São Paulo, o então governador do estado do Rio, Celso Pessanha, o jornalista David Nasser, o cirurgião plástico Ivo Pitanguy, entre outros. Era um grupo e tanto. Hebe mostrava-se à vontade diante das mais importantes celebridades. De vez em quando o programa fazia uma concessão ao departamento comercial da emissora e incluía entre os entrevistados alguma personalidade não tão importante assim. Foi o que aconteceu na noite de 26 de outubro de 1961, quando ela e suas colegas tiveram de fingir que era interessante saber da vida do comerciante Cláudio Ramos, dono da Casa Neno, patrocinador que substituiu a Varig. A entrevista teve direito à aparição da mãe, da esposa e de quatro irmãos do entrevistado.

O musical estreou antes, em 13 de abril de 1960, tendo o cantor e compositor Evaldo Gouveia como convidado. Hebe ficou no ar na Continental por quase dois anos. Nesse período, recebeu, entre outros, Mazzaropi, a dupla caipira Venâncio e Corumba, Jorge Goulart, Moreira da Silva, Emilinha Borba, Grande Otelo, Francisco Carlos, Gregorio Barrios, Leny Andrade, Julie Joy, Dalva de Oliveira, Agostinho dos Santos, Sérgio Ricardo e o novo amigo Agnaldo Rayol.

Hebe Comanda o Espetáculo teve tanta repercussão que a Odeon, ainda em 1961, resolveu fazer um disco pegando carona no sucesso do programa. O terceiro LP — também chamado *Hebe Comanda o Espetáculo* — foi gravado em estúdio, com convidados, como se estivesse sendo registrada uma edição ao vivo da atração da TV. Metade do disco foi ocupada por outros contratados da Odeon que poderiam estar na lista de convidados do programa: Pery Ribeiro, Walter Wanderley, Tony e Celly Campello, Isaurinha Garcia, Francisco Egydio e Germano Mathias. Hebe ficou com as outras seis faixas: "Faz-me rir" de F. Yoni e E. Arias, versão de Teixeira Filho; "Desse amor melhor" de Pernambuco e Antônio Maria; "No domingo não" de Manos Hadjidakis, versão de Romeo Nunes; "São Francisco" de Vinicius de Moraes e Paulo Soledade; "Eu tenho adoração por meus olhos" de Marcelo Tupinambá e Cleômenes Campos; e "O dia em que me queiras" de Alfredo Le Pera e Carlos Gardel, versão de Ribeiro Filho, que Hebe cantava em dupla com Osny Silva.

Em termos de repertório, foi um retrocesso. A artista de estilo moderno que se insinuava no LP anterior praticamente desapareceu, dando lugar a uma Hebe com maneirismos de cantora de rádio. A melhor faixa é, sem dúvida, o bolerão "Faz-me rir", mas a gravação da mesma música feita por Edith Veiga alcançou as paradas de sucesso, encobrindo o trabalho de Hebe. A Odeon investiu no bolero, lançando "Faz-me rir" em 78 rotações. O maior sucesso do disco acabou sendo "No domingo não", uma versão da canção que fazia parte da trilha sonora do filme grego *Nunca aos domingos*, um campeão de bilheteria em todo o planeta, dirigido por Jules Dassin e que lançava a atriz Melina Mercouri para o estrelato. A música, na interpretação de Melina, ganhou o Oscar de melhor canção original em 1961 e fez Hebe voltar a tocar no rádio.

Além de um disco, a temporada carioca de Hebe lhe deu, finalmente, o reconhecimento da crítica a seu trabalho como cantora. Em 1962, ela ganhou o troféu Antena de Prata — um prêmio distribuído no Rio que tinha mais ou menos a mesma importância do Roquette Pinto em São Paulo — como "Melhor

Cantora de Televisão do Ano". Em 1961, aliás, Hebe foi a cantora recordista de prêmios nas listas de fim de ano elaboradas pela imprensa carioca. Sempre como cantora, esteve entre os melhores do ano dos veículos *Revista da Televisão*, *Revista do Rádio*, *Correio da Manhã*, *Diário Carioca* e *TV Programa*.

Com a situação financeira "melhorando sensivelmente", como declarou naquela "ficha técnica" da *Revista do Rádio*, casa própria no Sumaré, bons discos no mercado, mais trabalho na televisão, prêmios como apresentadora e cantora, Hebe só não tinha resolvido ainda a vida amorosa. Desde a volta dos Estados Unidos e o rompimento com Luís Ramos, ela nunca mais falara em entrevistas sobre um marido, um noivo ou um namorado. Foi assim até o início de 1962, quando anunciou que se casaria em fevereiro daquele ano. Da mesma maneira que agia quando estava com Luís Ramos, ela não identificava o noivo. "Chama-se José", dizia, quando lhe perguntavam o nome. "É de uma família tradicional de São Paulo, dona de indústrias."

O casamento não aconteceu. Em julho, Hebe passou a dar entrevistas dizendo que a cerimônia tinha sido adiada para agosto. Foi quando os boatos começaram a se intensificar. Àquela altura, todos já sabiam que José, na verdade, era Giuseppe, de ascendência italiana, mais conhecido pelo apelido, Peppino. E a família era a famosa Matarazzo, que já havia protagonizado um escândalo quando um de seus integrantes, Maysa, casada com André Matarazzo (irmão de Peppino), tornou-se cantora profissional. Agora, o clã estaria se opondo ao casamento de mais um Matarazzo com alguém do meio artístico.

Na *Revista do Rádio* de 21 de julho, em matéria com o título "Hebe assegura que vai se casar em 62", ela desmentia a boataria.

"Disseram que eu havia casado secretamente. Isto é ridículo. Eu não casei nem pretendo casar secretamente. Não há razão para isto. Nem eu nem meu noivo somos casados ou desquitados e eu faço questão que todo mundo saiba de nosso casamento."

Mesmo anunciando o casamento e chamando Peppino Matarazzo de "noivo", no futuro Hebe minimizaria a importância dessa relação. Diria que foi "um namoro telefônico". Talvez se lembrasse de que, durante grande parte do namoro, que durou dois anos, ela estava no Rio ou em outras capitais com seus programas de televisão, enquanto ele permanecia em São Paulo. Mas o rapaz se fazia presente enviando um buquê de rosas vermelhas todos os domingos (dia em que ela estava em São Paulo apresentando o *Calouros Cristal*) e, sempre que possível, presenteando-a com joias. Foram esses mimos que fizeram Hebe iniciar uma das mais famosas coleções de joias do país.

No dia 3 de janeiro de 1962, ela apresentou o último *Hebe Comanda o Espetáculo* na TV Continental. O convidado do programa foi o cantor Lúcio Alves. No dia seguinte, foi ao ar o último *O Mundo É das Mulheres*, tendo como convidado o diretor da Rádio Globo, Rubens Amaral. Hebe ficou quase dez meses longe da televisão carioca e, depois desse hiato, retomou o "namoro telefônico" com Peppino Matarazzo. Cantando "Nossos momentos" de Haroldo Barbosa e Luís Reis, estreou na TV Rio, desta vez sem fazer entrevistas. Foram 28 programas no canal 13 carioca, sob a direção de José Brasil Campio. Participaram dessa temporada cantores que já podiam ser considerados da "turma da Hebe", como Osny Silva, Ivon Cury, Germano Mathias e o recém-chegado Agnaldo Rayol. Houve uma edição especial, no dia 30 de março de 1963, com Dorival Caymmi.

Mas o programa da TV Rio foi, principalmente, uma oportunidade para Hebe testar o repertório para um novo disco e receber algumas vozes masculinas do canto brasileiro moderno, como Pery Ribeiro, Tito Madi, Agostinho dos Santos, Miltinho e Dick Farney. O melhor da música brasileira batia ponto no programa de Hebe.

O resultado foi um novo disco e uma nova gravadora. Em 1963, a Polydor lançou *Hebe e vocês*, com pelo menos duas faixas de destaque: "Samba em prelúdio" de Baden Powell e Vinicius de Moraes e "Prelúdio pra ninar gente grande" de Luiz Vieira. "Samba em prelúdio" foi das canções mais gravadas naquele período. Lançada no ano anterior por Geraldo Vandré e Ana Lúcia, ela trazia seus intérpretes cantando, cada um, uma das duas partes da música. No fim, os dois cantavam juntos, cada um a sua parte, um fazendo contracanto para o outro.

A gravação de Hebe é original. Ela canta as duas partes e faz contracanto para si mesma. Um clássico. Na época, o diretor Nilton Travesso fez uma gravação desse trabalho de Hebe para a televisão. O videoteipe estava chegando ao Brasil. Pela primeira vez as imagens podiam ser editadas, como no cinema. Travesso resolveu gravar o "Samba em prelúdio" à maneira de Hebe: ela cantando com ela mesma. Era difícil, como relata Travesso em depoimento às Organizações Camargo: "Nós tínhamos dois VTs", ele contou, relembrando a experiência. "Podíamos gravar uma vez um lado e, depois, o outro, inserindo a imagem dela. E ela precisava ter o tempo, a expressão e entrar com o contracanto na hora certa. A única pessoa que podia fazer isso era mesmo a Hebe. Porque a Hebe sempre teve uma ansiedade para acertar as coisas. Tudo nela tinha um sentido profissional muito grande. A Hebe tinha 50% de talento e 50% de disciplina. Chamamos a Hebe e explicamos. Vai dar trabalho. Você vai ter que fazer isso e isso e isso. Nós temos que gravar uma vez e você vai ter que esperar. Você vai ter que memorizar porque nós vamos coincidir você olhando para você. Deu certo de primeira!"

Já o outro destaque, "Prelúdio pra ninar gente grande", ficou conhecido como "Menino passarinho". É das músicas mais conhecidas do repertório de Luiz Vieira e virou uma das principais canções do repertório de Hebe.

Mas a maior curiosidade de *Hebe e vocês* ficou quase escondida na última faixa do lado B do disco. "Ponhom Pompom", de Catulo de Paula, revelava o que as últimas gravações de Hebe vinham só insinuando. O arranjo do maestro Lindolfo Gaya não deixava a menor dúvida.

> *Meu bem, eu aderi também*
> *A esse movimento singular*
> *Que fala de amor assim*
> *Ponhom Ponhompompom*
> *E diz que é bom amar assim*
> *Em dó maior ou dó menor*
> *Ponhom*

Hebe Camargo, definitivamente, foi bossa-novista militante de primeira hora.

CAPÍTULO 5

"ÀS VEZES, ME METO EM CADA APERTO..."

Marcado, adiado, o casamento de Hebe com Peppino não aconteceu. No meio do caminho, apareceu um comerciante de automóveis de olhos azuis. Hebe nunca escondeu de ninguém seu interesse por carros e por olhos azuis. Em muitas reportagens está registrado que o primeiro veículo de Hebe foi um Chevrolet 1950 verde, placa 2521, que ela comprou de Walter Forster em 1952. Mas em 1950 ela já dirigia um Ford Prefect. E agora, no começo da década de 1960, ela circulava por São Paulo com um Chevrolet Impala 1958, branco. Décio Capuano era dono de uma agência que vendia carros importados, tinha olhos azuis e queria muito conhecer Hebe Camargo.

Ele armou um ardil para chegar à artista. Começou a usar um Impala igualzinho ao dela. Na primeira vez que viu o carro de Hebe estacionado nas imediações da TV Paulista, parou ao lado. Quando Hebe foi pegar o carro de volta, Décio, "coincidentemente", também estava pegando o seu. Foi inevitável conversarem sobre seus veículos. No meio da conversa, Hebe prestou atenção nos olhos dele. Naquele momento, as joias que tinha recebido de Peppino Matarazzo passaram a não valer nada. Hebe, literalmente, trocou a coleção de joias mais valiosa do meio artístico por um par de olhos azuis. Devolveu as joias, pediu recibo para que não fosse acusada posteriormente de ter ficado com alguma e rompeu o noivado.

Muitos anos depois, Hebe fez um balanço de sua relação com Peppino. "Foi um caso, digamos assim, telefônico, com um grande e generoso amigo", disse ela. "Foi uma pessoa que amei realmente muito, mas de uma maneira casta, completamente platônica. Peppino, que tinha uma certa idade, era solteiro, mas não podia se casar comigo; motivos de família, sei lá. A coisa durou um certo tempo, e Peppino não cansava de me enviar presentes. Quando conheci o Décio, resolvi: preparei uma caixa, com todos os presentes, e mandei tudo de volta. Com que direito ficaria com aquilo tudo, se nada aconteceu entre nós? Ele tinha sido apenas um doce namorado, com o qual mantive bons papos pelo telefone, e nada mais." De qualquer maneira, Hebe nunca negou as consequências que o "caso telefônico" trouxe à sua vida: "Depois desta aventura, comecei a comprar todas as coisas que devolvi, não as mesmas, mas tudo que lembrava os presentes do Peppino. Fiz questão de comprar, com o dinheiro do meu trabalho, a maior parte das peças que se pareciam com aquelas que devolvi. Poucos sabem como isso é bom, como é bom poder dormir tranquila."

No tempo do namoro com Décio, a revista *7 Dias na TV* publicou o que seria o cotidiano de Hebe. "Levanta-se tarde, dez ou dez e meia. Toma café (muito pouco, pela manhã). Reserva-se para a tarde, quando, então, bebe de oito a dez chávenas, mesmo sem ser fumante. Lê jornais." Parece tedioso para quem ainda mantinha a rotina de gravações — durante a primeira metade da década de 1960, ela gravou um disco por ano — e o comando de programas de televisão. A temporada carioca, por exemplo, continuava. Em 1963, ela se transferiu da TV Rio para a Tupi e, sob a direção de Maurício Sherman, experimentou um formato novo para seu show semanal. Misturou o musical com o programa de entrevistas numa atração única.

No dia 7 de maio, cantando "O amor e a rosa" de Antônio Maria e Pernambuco, música que nunca gravou, e, em dueto com Roberto Audi, o "Samba em prelúdio" de Baden e Vinicius, Hebe estreou seu novo programa, sob o patrocínio das lojas Tele-Rio. Na primeira parte (*Hebe Camargo Convida*), era exibido o musical habitual; na segunda, o veterano *O Mundo É das Mulheres*. Para a estreia, ela conseguiu uma entrevista pré-gravada com o então governador da Guanabara, Carlos Lacerda.

Foram realizados trinta programas. Da parte musical, participaram, entre outros, Nora Ney, Lennie Dale, Eliana e Booker Pittman e Dick Farney. Ah... e Agnaldo Rayol. Entre os entrevistados, estiveram no estúdio da Tupi o jornalista David Nasser, o publicitário Mauro Salles, o cronista e compositor Antônio Maria, o colunista Ibrahim Sued, o então arcebispo do Rio de Janeiro, dom Helder Câmara, e o dramaturgo Joracy Camargo.

Infelizmente, nada foi gravado para a posteridade. Naquele ano, as emissoras de televisão já usavam com frequência o videoteipe, mas não tinham o intuito de preservação. Utilizavam uma fita de vídeo num programa e a apagavam, gravando por cima o programa seguinte. Assim, foram perdidos alguns momentos memoráveis de Hebe na Tupi, como o da noite de 14 de maio, quando ela recebeu o cantor Ivon Cury para reviver o dueto de "Noite de luar", que eles tinham feito para o filmete usado nas transmissões experimentais da televisão em São Paulo. Ou o da edição de 6 de agosto, quando Hebe, vestida de baiana, recebeu os compositores Ary Barroso e Dorival Caymmi para homenagear Carmen Miranda. O programa fez tanto sucesso que se estendeu além do tempo (também participaram dele o humorista Jorge Murad, amigo de Carmen, e o cineasta Adhemar Gonzaga, que a dirigiu no filme *Alô, Alô, Carnaval*), não deixando muito espaço para *O Mundo É das Mulheres*. O entrevistado era o radialista César Ladeira, e Hebe só teve tempo de lhe fazer uma única pergunta: "O mundo é das mulheres?" Ladeira respondeu, mas ficou furioso.

Em 1964, ela lançou mais um disco, *Hebe*, ainda pela Polydor. Foi um trabalho essencialmente romântico. Hebe repetiu a dupla que trabalhou em seu disco anterior — o arranjador Lindolfo Gaya e o produtor Ismael Correa, dois artistas ligados à bossa nova —, mas não reproduziu os acertos de *Hebe e Vocês*. É um LP triste, quase soturno. Apesar de a cantora convocar, de novo, alguns compositores da música brasileira moderna, o trabalho se identificou mais de perto com o samba-canção. No repertório, aparecem Lúcio Alves ("Meu samba virou você"), Luís Bonfá e Maria Helena Toledo ("Carnaval saudade colorida"), Orlando Henrique e Durval Ferreira ("Deus mandou você") e Carlos Lyra e Vinicius de Moraes ("Pode ir"), mas as versões de Hebe se afastam do clima solar da bossa nova e privilegiam o estilo do que era chamado de "música de fossa".

Duas faixas são marcantes e pontuaram a carreira de Hebe para sempre. "Paz do meu amor" (ou "Prelúdio nº 2") de Luiz Vieira mostra como sua interpretação é adequada para as composições de Vieira, que já havia sido responsável pelo maior sucesso do disco anterior ("Prelúdio para ninar gente grande"). A outra é a embolada "Andorinha preta" de Breno Ferreira (aquela do "Eu tenho uma andorinha que me fugiu da gaiola"), grande sucesso de 1932 que estava sendo redescoberto na época do lançamento do disco, tendo sido gravado também pelo Trio Irakitan, por Wilson Simonal, por Nara Leão e até por Nat King Cole.

Quando o disco chegou ao mercado, Hebe estava fora da televisão. O último programa carioca foi transmitido no dia 3 de dezembro de 1963, quando ela recebeu o pianista Bené Nunes, cantou "A noite do meu bem" de Dolores Duran e entrevistou o jornalista Otto Lara Rezende. Na mesma época, Hebe apresentou o último *O Mundo É das Mulheres* na TV Paulista. Estava se livrando dos compromissos para cuidar de uma atividade mais importante: alguns meses depois, os amigos, os políticos que ela tinha se acostumado a entrevistar, as personalidades com quem convivia receberam um convite retangular que, pelo formato, já anunciava seu propósito.

No alto, no canto esquerdo, vinham os nomes dos remetentes: Sr. e Sra. Sigesfredo Camargo e Sr. e Sra. João Capuano Netto. No centro, o texto convencional: "Convidam V. S. para a cerimônia religiosa do casamento de seus filhos Hebe e Décio, aos quatorze de julho de mil novecentos e sessenta e quatro, às vinte horas e trinta minutos, à rua Grajaú trezentos e cinquenta e sete."

Embaixo, no canto esquerdo, vinha o endereço da noiva (Petrópolis, 427); no canto direito, o do noivo (Barra Funda, 99, ap. 1). Aos 35 anos, Hebe, enfim, se casou de verdade. Teve padre e juiz de paz, mas ela não usou branco. Disse depois que teve medo de levar bronca do padre. Vestiu um *tailleur* cor-de-rosa criado pelo estilista Badia para a ocasião. Não foi um enlace sem traumas. O pai do noivo exigiu que Hebe assinasse um documento abrindo mão de qualquer bem do futuro marido. "E eu assinei, mesmo porque não estava casando por interesse", diria ela mais tarde. O noivo quis que ela abandonasse a carreira artística. Durante o namoro, Hebe sofreu dois abortos espontâneos. Décio atribuía isso ao excesso de trabalho dela. Ela aceitou desistir dos contratos com a TV, dos cachês dos shows, do dinheiro da venda de discos. Em compensação, o marido deveria se comprometer a sustentar seu Fego e dona Esther, que estavam saindo da casa do Sumaré para morar sozinhos. Ele topou. A lua de mel foi em Nova York.

Hebe estava disposta a ser apenas dona de casa. Mas deixou mais um disco como despedida. Em 1965, já afastada de todos os compromissos com a carreira, ela viu a Polydor pôr no mercado o LP *Hebe 65*. É, certamente, a obra mais curiosa de toda a sua discografia. Produzido por Mário Duarte, o LP traz alguns fonogramas com os gêneros que deixavam Hebe mais à vontade, como a guarânia ("Queria" de Luiz Carlos Paraná) e o samba-canção ("Rotina do amor" de J. Domingos), mas também estava ali, com destaque, na primeira faixa do lado B, o jequibau "Amor em cinco tempos" de Mário Albanese e Armando Blundi Bastos. O jequibau era um ritmo novo, inventado pelo pianista Albanese e pelo maestro Cyro Pereira, como resposta à bossa nova. Era uma espécie de samba no qual o compasso era marcado no tempo 5 por 4, em vez do habitual 4 por 4.

O disco chegou às lojas quando a música brasileira se dividia em dois caminhos. Num deles, prevalecia a bossa nova; no outro, a música de protesto, que acabou se transformando em MPB. Hebe registra essa divisão no disco. Grava algumas representantes legítimas da bossa nova, como "Sambruxa", de Messias, que tem até um breque no qual ela convoca os ouvintes de um jeito típico do gênero: "S'imbora". Há ainda "Miss Biquíni" de Sylvio Mazzuca e Zuleika Amaral, que, além de uma referência a "Garota de Ipanema" no arranjo, possui uma letra para lá de bossa-novista (Quando eu crescer/ Quero ser o sonho lindo de alguém/ Quero ser a Miss Biquíni também) e "Barquinho diferente" de Sergio Augusto, autêntico exemplar do gênero. "Tem que ser azul", também de Messias, é quase um clichê das letras para banquinho e violão ("Por que todo este céu/ Todo este azul?"). Ainda há o registro de um clássico, "Onde está você?" de Oscar Castro Neves e Luvercy Fiorini.

Ao mesmo tempo, Hebe piscava um olho para a música de protesto ao cantar a terceira composição de Messias do repertório, "Queimada" ("Não tinha leite/ Não tinha pão") e um lamento de Geraldo Vandré ("Pequeno concerto que virou canção").

Para escrever a contracapa, Hebe convidou o amigo Walter Forster, que ligou o disco ao movimento musical da época. Forster explicava que o LP era fruto dos shows de música brasileira que faziam sucesso nos maiores teatros das grandes cidades e conquistavam plateias que, não muito tempo depois, estariam aplaudindo e vaiando as músicas dos festivais de MPB. Fez referência ao pioneirismo da gravação do jequibau e tratou o disco como se fosse uma "volta" de Hebe à carreira fonográfica. Não era bem assim. Um ano antes, ela tinha lançado disco. E no ano anterior também. Mas o texto registra a admiração pela cantora por parte do homem que inventou a entrevistadora:

"*Hebe 65* significa que Hebe Camargo está presente neste ano de 1965, que vem trazendo novo vigor à música popular brasileira, fazendo despertar a sensibilidade amortecida durante muito tempo pelo trabalho de divulgação em torno de outros gêneros. Os espetáculos que têm por base os nossos ritmos ocupam hoje os primeiros lugares na preferência popular.

"Por incrível que pareça, já houve tempo, não muito distante, em que para o público considerado classe A samba ou música brasileira era coisa de mau gosto. Hoje o samba domina inteiramente, tanto no gênero bossa nova como nos demais. Numa época em que a música brasileira evolui, cria novas formas e parece envolver toda a gente, uma artista como Hebe não poderia estar de fora. Por isso Mário Duarte foi buscá-la e, movimentando maestros, arranjadores do gabarito de Cyro Pereira, Severino Filho e Portinho, selecionando algumas das melhores músicas dos nossos compositores, produziu este LP, que constitui o que de melhor se poderia conceber para a volta de Hebe ao mundo do disco.

"Cantando melhor do que nunca, Hebe nos parece neste LP ainda mais autêntica, conseguindo transmitir-nos com o talento de grande intérprete que é as mensagens de ternura, de amor, de suavidade e de brejeirice contidas nas músicas que selecionou.

Destaque-se, como nota de ineditismo, o lançamento do jequibau, que é algo realmente novo, mais um passo à frente na nossa música.

"'Amor em cinco tempos', cujo ritmo é jequibau, pode ser chamado de 'nova fórmula' de samba, porque é escrito em compasso de cinco tempos, isto é, 5/4, e é samba. Hebe tem, pois, a primazia de lançá-lo neste LP. O jequibau será assunto de discussões e controvérsias, e seus autores Mário Albanese e Armando Bastos, bem como o orquestrador Cyro Pereira, terão muito o que falar a respeito.

"'Hebe 65' é um LP que está dentro do melhor padrão técnico e artístico, portanto inteiramente à altura de marcar o retorno ao disco da grande e querida artista que é Hebe Camargo."

O LP não teve um bom desempenho nas lojas, mas Hebe não se preocupou. Tinha coisa mais importante com que se importar. No dia 20 de setembro, às 20h55, um mês antes do previsto, ela deu entrada no apartamento 694 da Maternidade São Paulo. Antes de meia-noite, nasceu o único filho de Hebe Camargo e Décio Capuano. Pesava 2.800 gramas e media 47cm. E não tinha olhos azuis, mas castanhos. Quando perguntavam à mãe o nome do bebê, ela dizia: "Marcelo." E em seguida acrescentava: "Com dois eles." Marcello, então. Sua chegada foi comemorada pelo avô. "Minha alegria é a mesma de quem recebe um 13º salário adiantado", disse seu Fego. "Ganhei meu 13º neto."

A pacata vida doméstica não durou muito tempo. Hebe ficou menos de dois anos longe da televisão. Ao rádio, ela já havia cedido. Em 1965, a convite da Rádio Excelsior, que voltara a seu nome original depois de ser proibida de usar o da Nacional, ela apresentava, diariamente, entre três e quatro horas da tarde, o programa *Mulher 65*. Décio concordara porque a emissora instalou um equipamento para Hebe apresentar o programa de casa. De casa, podia. Faltava a televisão. A convite de Agnaldo Rayol, ela aceitou participar do programa que o cantor apresentava, na TV Record, ao lado do comediante Renato Corte Real, nas noites de terça-feira. O *Corte Rayol Show* era uma atração que misturava música e humor e fazia sucesso na grade de programação da terceira emissora mais antiga de São Paulo. A ideia era Hebe aparecer com a família e na sua nova condição de dona de casa. Em janeiro de 1966, ao lado do marido, ela foi ao programa, com os cabelos mais escuros e o filho Marcello no colo. A aparição teve muita repercussão, e gerou uma obsessão em Paulo Machado de Carvalho, o diretor da emissora. Ele passou a querer Hebe em seu elenco.

Em São Paulo, a televisão de 1966 era muito diferente daquela que Hebe tinha abandonado quase dois anos antes. A TV Paulista, onde ela brilhara, tinha menos importância. Todas as atenções e as maiores audiências agora eram da Excelsior, a caçula das estações paulistas, criada em 1959. Desde 1963, quando levou ao ar *254-99 Ocupado*, com uma história de amor impossível entre personagens vividos por Glória Menezes e Tarcísio Meira, a Excelsior investia em telenovelas diárias, tornando-se líder na preferência dos espectadores. No ano seguinte, a Tupi também aderiu ao gênero, com a exibição de *Alma Cigana* e a estreia nas novelas da atriz Ana Rosa. A partir desse momento, o horário nobre em São Paulo passou a ser ocupado por telenovelas, três por dia em cada uma das duas emissoras. Em 1965, a Record resolveu combater o gênero investindo em musicais gravados ao vivo num teatro que possuía no bairro da Consolação. Deu certo. Em 1966, quando Hebe levou a família ao programa de Agnaldo, a Record já possuía uma programação de sucesso que era exibida em todo o país: um grande musical por dia, sempre no horário nobre, com o maior elenco de cantores contratados que uma estação de televisão já teve no Brasil.

Era um luxo. Às segundas-feiras, ia ao ar *Dia D... Elza*, um programa dedicado ao samba com apresentação de Elza Soares e Germano Mathias. Às terças, o *Corte Rayol Show*, aberto a todos os gêneros musicais e às piadas de Renato Corte Real. Às quartas, *O Fino da Bossa*, apresentado por Elis Regina e Jair Rodrigues, no qual foi gerada a MPB. Às quintas, *Show em Si... monal*, com Wilson Simonal. Às sextas, *Bossaudade*, comandado por Elizeth Cardoso e Cyro Monteiro, no qual se exibiam cantores veteranos. Aos sábados, sob o comando de Randal Juliano, *Astros do Disco*, a parada de sucessos. E, aos domingos, única exceção, já que não era transmitido à noite, mas no horário vespertino, *Jovem Guarda*, com Roberto Carlos, Wanderléa e Erasmo Carlos.

Paulo Machado de Carvalho sabia que faltava uma atração para as noites de domingo e passou a considerar que a melhor opção seria Hebe Camargo recebendo o elenco de todo o restante da programação. Os cantores que o público conhecia dos outros shows iriam ao seu programa para mostrar como eram na vida privada. A personalidade de Hebe como cantora era importante para a nova atração, mas era a Hebe entrevistadora que alimentava os planos de Paulo Machado de Carvalho. Agnaldo Rayol iniciou os contatos com ela. Hebe não cedeu. Na verdade, ela já vinha negociando sua volta com a TV Tupi. Entraram em cena, então, os diretores da Record. "Não foi fácil", conta o novelista da Globo Manoel Carlos. "Mas ela acabou topando." Manoel Carlos, na época, fazia parte da Equipe A, um grupo de produtores/diretores da Record, responsável pela maioria dos sucessos da emissora. Ao lado dele estavam Nilton Travesso, Raul Duarte e Tuta de Carvalho. Era esse o grupo que se responsabilizaria pelo programa que iria marcar a volta de Hebe Camargo à televisão. As negociações com a Tupi naufragaram quando Hebe descobriu, praticamente na hora de assinar o contrato, que receberia metade do que lhe fora prometido e que seu programa não teria auditório, como ela queria.

"Nossos encontros eram na casa de Hebe, no Sumaré. Ela já era uma figura mítica de São Paulo", continua Manoel Carlos. "A Record queria todos os grandes nomes e, em termos de entrevista, o grande nome era Hebe Camargo." Manoel Carlos diz que dinheiro não era a questão — "ela ganharia o que quisesse" —, mas Hebe não desejava contrariar a vontade do marido e preferia manter sua vida longe das câmeras. No entanto, foi mesmo uma questão financeira que acabou fazendo com que ela se decidisse pelo retorno. Os negócios de Décio não iam tão bem a ponto de ele cumprir o combinado e sustentar seu Fego e dona Esther. Ele acabou tendo de liberar a mulher de sua promessa. Hebe assinou com a Record. Não é difícil imaginar quanto valia o salário de Hebe na época. Ela entrava para o primeiro time da emissora. Elis Regina, que também era desse time, ganhava, por mês, o equivalente ao preço de um apartamento no centro de São Paulo. Não seria muito fantasioso supor que Hebe teria um salário parecido.

"A fórmula era simples: Hebe entrevistando no sofá", explica Manoel Carlos. "Eu e Nilton produzíamos. Raul Duarte fazia as fichas com as perguntas. Tuta era o cortador", uma referência à função de quem decide quais imagens vão ao ar. "Era sempre um teatro televisado. Ela começava o programa interpretando um número musical. As câmeras eram fixas. Dirigir era dizer 'entra por aqui', 'senta'... Não tinha muito o que dirigir. A gente levava muita fé e gostava muito dela."

O programa era gravado no teatro, ao vivo, sem cortes, nas noites de quarta-feira, e exibido aos domingos às 19h30. O primeiro deles foi gravado no dia 6 de abril de 1966 e tinha entre os convidados Agnaldo Rayol e Renato Corte Real, numa espécie de retribuição à visita que Hebe fizera ao programa deles no começo do ano. O jornalista Apparicio Torelly, criador do jornal *A Manha*, pioneiro da imprensa humorística no Brasil, na qual assinava como Barão de Itararé, também se sentou no sofá do primeiro programa. E o principal convidado da noite, aquele que era guardado para encerrar o show, foi Roberto Carlos. No dia 10, um domingo de Páscoa, o filme *Help*, com os Beatles, entrava na sua segunda semana em cartaz no Cine Windsor, no centro de São Paulo. A bênção papal de Paulo VI, tradição nesse feriado católico, era transmitida pelo rádio. Nos jornais, um televisor Philco, com tubo de imagem de 23 polegadas e "móvel de fino gosto", era anunciado por "uma pequena entrada" e 34.450 cruzeiros mensais. E às sete e meia da noite, pela primeira vez, para quem sintonizava no canal 7 de São Paulo, sob o patrocínio de Santa Marina e Copa-Cozinha Paulista, Hebe Camargo surgia no fundo do palco do Teatro Record, dirigia-se à boca de cena, abria os braços e fazia a saudação que se transformaria numa tradição: "Boa noite, São Paulo! Boa noite, Brasil!"

Ainda não tinham sido criadas as redes de TV. O programa de Hebe ia realmente para todo o Brasil, mas não ao mesmo tempo. Estreava em São Paulo e, nos sete dias seguintes, graças às fitas de videoteipe, ia sendo exibido em outros estados. Em alguns lugares ele era transmitido com uma semana de atraso. Mas isso não impediu que fosse um sucesso instantâneo. A simpatia de Hebe, sua espontaneidade, seu jeito alegre, sua gargalhada — tudo contribuiu para a imediata identificação dos espectadores. O sofá no qual ela recebia seus convidados tornou-se mítico. A audiência cresceu, e os anunciantes se estapeavam para conseguir uma vaga nos intervalos comerciais da atração. A primeira providência de Paulo Machado de Carvalho foi aumentar a duração do espetáculo. Na estreia, *Hebe* saiu do ar às 21h30. Durou duas horas. Algumas semanas depois, o programa passou a durar três horas. Em seguida, passou a ter a duração de quatro horas. Esse ficou sendo mais ou menos o tempo do programa. Mais ou menos porque não era raro ele ser transmitido até meia-noite ou meia-noite e meia, ficando cinco horas seguidas no ar.

A Record passou a achar que Hebe era "educada" demais ao entrevistar seus convidados e não estava aproveitando o potencial de polêmica que o programa podia render. Para que isso acontecesse, foi escalada Cidinha Campos para participar com ela da última entrevista, a mais importante da noite. Cidinha tinha começado sua carreira apresentando uma atração infantil na Record, mas ficara famosa com o *Mexericos da Cidinha*, um programa diário de fofocas na Rádio Jovem Pan, uma estação que pertencia ao mesmo grupo proprietário da estação de TV. Cidinha não tinha medo de fazer críticas ou revelar bastidores dos programas da própria Record. Isso a credenciou para garantir o lado "picante" das entrevistas de *Hebe*.

"A ideia era acrescentar um pouco de sal e pimenta às entrevistas", conta Cidinha, hoje deputada estadual no Rio de Janeiro. "Eu entrava para fazer perguntas corriqueiras. Ou agressivas. Ou corajosas. Hoje eu vejo que não tinha necessidade. Eles não percebiam que existia uma outra Hebe que era capaz de fazer isso. Eu tinha fama de brigona, ela tinha fama de boazinha. Mas nem eu era tão brigona, nem ela era tão boazinha."

O relacionamento entre as duas não pode ser definido como uma lua de mel. "Eu tinha obrigação de ser 'a má', e ela não gostava disso", conta Cidinha. "Eu acho que ela foi se irritando com isso. Eu preparava as minhas fichas com as minhas perguntas. E as dela — nem todas — eram preparadas pela produção. Ela começou a achar que as melhores perguntas eram minhas. Ela nunca disse isso claramente. Mas começou a pedir para ver a minha ficha antes de o programa começar a ser gravado, e, de vez em quando, ela trocava as fichas, ficando com as minhas."

Em pouco tempo, ser entrevistado por Hebe virou sinal de prestígio. E o programa acostumou seu espectador a ver sempre acontecimentos exclusivos. Quando Elis Regina e Ronaldo Bôscoli se casaram, foi no programa da Hebe que eles revelaram como era o cotidiano do casal. Quando Pelé quis apresentar ao país sua primeira esposa, levou Rose ao programa de Hebe. Um jovem compositor, responsável pela música do espetáculo *Morte e vida severina*, premiado no Festival Internacional de Teatro de Nancy, na França, tornou-se conhecido no país ao ser entrevistado por Hebe. Era Chico Buarque de Hollanda. Um cantor e compositor começou a se destacar nas rodas de samba do Rio de Janeiro? Então ele era levado ao sofá de Hebe. Foi assim que Paulinho da Viola apareceu pela primeira vez na televisão.

Prova do renome do programa é o número de entrevistados estrangeiros que passou a receber. Se alguma personalidade de outro país passasse por São Paulo, era praticamente obrigatório submeter-se às perguntas de Hebe. A atração semanal acabou escrevendo uma imbatível lista de convidados da qual fazem parte o cirurgião sul-africano Christian Barnard, o presidente chileno Eduardo Frei, o playboy alemão Gunter Sachs, a atriz americana Joan Crawford, o presidente português Marcelo Caetano, o ator italiano Albert Sordi, o ator americano Glenn Ford, o cantor italiano Sergio Endrigo, a princesa italiana Ira von Furstenberg, o estilista francês Pierre Cardin, o ator americano Jonathan Harris (o Dr. Smith do seriado *Perdidos no espaço*), a atriz italiana Claudia Cardinale, o showman americano Sammy Davis Jr., o astronauta americano Neil Armstrong e o futurólogo americano Herman Kahn. Juntos, eles formam um grupo de personalidades que não pode faltar em qualquer história da década de 1960. Todos passaram pelo sofá posicionado no centro do palco do Teatro Record.

Assim como Cidinha entrou para apimentar as perguntas, outro "ajudante" tornou-se necessário para servir de intérprete nas entrevistas com estrangeiros. O escalado foi Jô Soares. Já celebrado como comediante, Jô tinha iniciado sua carreira na televisão exatamente como intérprete de um talk show, talvez o primeiro da televisão brasileira. Era o *S.S. Show*, programa de entrevistas apresentado pelo dramaturgo Silveira Sampaio que ia ao ar nas noites de sexta-feira, no finzinho dos anos 1950 e começo dos 1960, pela mesma Record. Silveira Sampaio falava inglês, mas não se sentia seguro para comandar uma entrevista nesse idioma. Convocou, então, Jô Soares para a tarefa.

Jô não se lembra muito bem de seu trabalho com Hebe. "Acho que fiquei pouco tempo lá", diz ele. "Mas me lembro que fui o intérprete da entrevista com Pierre Cardin. Ele ficou impressionado com ela. Quando a entrevista acabou, ainda no camarim, ele me disse que 'realmente ela é uma grande dama.'" Depois, no seu próprio talk show, Jô entrevistou Cardin mais duas ou três vezes. "Ele sempre se lembrava da entrevista com a Hebe."

É claro que o elenco de cantores da Record e uma personalidade estrangeira de vez em quando não seguravam um programa de entrevistas por quatro ou cinco horas seguidas sem se tornar monótono. O sucesso da lista de convidados, 12 ou 15 por noite, dependia da variedade. Havia os comediantes da Record também, os atores de teatro, um ou outro ministro de Estado — o programa tornou-se o preferido do governo para anunciar suas decisões ou suas obras — e pelo menos um personagem anônimo tirado do noticiário, um bombeiro que tivesse salvado uma criança de um incêndio ou um camelô que fizesse sucesso no Rio ou em São Paulo.

Todos eles eram afagados com a expressão "que gracinha", que se tornou um bordão nacional. Hebe acabou com o formalismo que reinava nas entrevistas da televisão, recebendo seus convidados com um beijo no rosto, fosse ele um presidente da República ou uma estrela de Hollywood. Hebe surpreendia ao acariciar o rosto do convidado no meio de uma entrevista. O público adorava tudo isso.

O diretor Nilton Travesso, em depoimento para o Instituto Hebe Forever, tenta explicar tanto sucesso: "Já havia programas de auditório, mas essa intimidade entre apresentadora e público, isso ainda não tinha acontecido. Essa intimidade, essa espontaneidade, o público ficava enlouquecido. Na segunda-feira, já tinha fila para pegar ingresso para o programa que era gravado na quarta."

Em seu livro *Ninguém faz sucesso sozinho*, Tuta Carvalho também tenta explicar o fenômeno: "Impressiona o fato de ela ter se mantido sempre na crista da onda. Isso se deve fundamentalmente à empatia, ou melhor, à simpatia dela. Era algo inato, um talento, seu maior patrimônio." Manoel Carlos aponta outras características: "Generosa, carinhosa, ela entrevistava todo mundo como se fosse do mesmo nível. Ela não valorizava a ficha da produção. Ela era Hebe, ela era mais importante." Cidinha Campos analisa a entrevistadora: "Ela tinha um magnetismo... E não era agressiva. Isso é um dom." Jô Soares também dá seu palpite: "Ela tinha uma intuição imensa."

Com o sucesso, a própria Hebe foi instada a explicar seu estilo, como em entrevista à revista *Intervalo*, quando o programa completou três anos no ar. "Sinceramente, às vezes me meto em cada aperto...", disse ela. "Imagine, você receber um convidado, ter de entrevistá-lo sobre um assunto que você desconhece, sem nunca antes ter batido um papinho com ele. Naturalmente, não vou começar perguntando como está o tempo lá fora. Não tem cabimento. Nesse caso, primeiro procuro me tornar sua amiga e, ao mesmo tempo, deixá-lo tão à vontade que ele possa se sentir no auditório como se estivesse em presença de velhos conhecidos. Eu estabeleço um diálogo entre ele e o meu público. Acho que é assim."

O repórter da revista insistiu. Como Hebe explicaria a sua técnica? "Olha, eu não diria técnica", corrigiu ela. "Acho essa palavra, no caso, inexpressiva e até desgosto dela porque ajo com emoção, com sentimento, entende? É como se eu estivesse dentro de minha própria casa, apresentando um novo amigo aos meus convidados. Então, eu trataria de deixá-lo à vontade. Uma gracinha, às vezes, tem um efeito surpreendente. Por exemplo, posso dizer assim, logo de início: 'Vocês já viram que ele tem um furinho no queixo que nem o Agnaldo? Reparem bem e digam se eu não tenho razão: é a carinha do Agnaldo!' Ele pode ficar um pouco embaraçado, mas não muito. Aí, o diálogo está estabelecido, já podemos conversar: eu, ele e o auditório."

CAPÍTULO 6

"MEU SUCESSO CRESCIA A CADA DIA"

Com um elenco tão diversificado passando pelo seu sofá, seria natural que Hebe se saísse melhor num gênero de entrevistas do que em outro. Em seu livro, Tuta Carvalho fala disso: "Hebe sempre fazia bem as entrevistas, mas fazia melhor aquelas com entrevistados dos quais gostava mais. As entrevistas com Agnaldo Rayol, Chico Buarque, os cantores, seus colegas de ofício, duravam trinta, quarenta minutos. Às vezes, tínhamos certo trabalho para pôr-lhes fim. Pois fazia todas as perguntas planejadas pela produção e ainda acrescentava as dela mesma. Mas, quando era um político, um militar, e naquele tempo era moda entrevistar militares, ela fazia a primeira, no máximo a segunda pergunta e ia logo avisando: 'Bem, vamos a nossa última pergunta.' E, sem mais, tratava de encerrar a conversa no sofá."

O sucesso não significou unanimidade. O Brasil vivia momentos difíceis no ano em que o programa de Hebe estreou. O presidente era o marechal Humberto de Alencar Castelo Branco. Quatro meses depois, o governo foi transferido para o general Artur da Costa e Silva. A ditadura militar vivia seu apogeu. Nomes proibidos e políticos censurados faziam parte do cotidiano de um programa que dependia de convidados para ir ao ar. Quando já estava na Record havia um ano, Hebe revelou quais eram os entrevistados mais difíceis de levar ao programa: Juscelino, Jânio e Lacerda. Ela se referia aos ex-presidentes da República Juscelino Kubitschek e Jânio Quadros, que já estavam com os direitos políticos cassados pelo regime militar, e ao ex-governador do estado da Guanabara Carlos Lacerda, que seria cassado no ano seguinte. "O Jânio e o Juscelino são cassados, não podem vir", explicou Hebe. "O Lacerda poderia vir, mas ele só quer falar de política, e eu, de rosas. E como falar de política não pode por causa da Censura..."

Em 1968, Costa e Silva promulgou o Ato Institucional nº 5, que lhe dava poderes até para fechar o Congresso Nacional. Mas, no sofá de Hebe, o Brasil ainda era "uma gracinha". Ela entrevistava artistas que se destacavam pela resistência ao regime, como os compositores Chico Buarque e Geraldo Vandré e o dramaturgo Plínio Marcos. Mas, ao mesmo tempo, não se acanhava em dar declarações como a publicada pela revista *O Cruzeiro*, na edição de 27 de março de 1969. Costa e Silva tinha sofrido um derrame cerebral, e Hebe avaliava sua personalidade. "Ele chorou no dia da posse", disse ela. "Homem que tem a capacidade de chorar é porque é bom, não tem veneno na alma, pode compreender o problema dos outros. Que pena que ele esteja doentinho."

A simpatia pelo ditador e a presença frequente de autoridades no seu sofá ajudaram a alimentar as críticas ao programa.

Hebe, que queria ser apolítica, ficou com fama de direitista. Ela já começava a construir também a imagem de mulher glamorosa, com vestidos de alta-costura, joias extravagantes (agora compradas por ela mesma) e idas quase diárias ao cabeleireiro. A futilidade passou a ser associada às suas perguntas. Alguns entrevistados começaram a dar sinais de não se sentirem à vontade no programa da apresentadora. Aceitavam ir como se fosse obrigação, já que *Hebe* era o principal veículo para lançar filmes, livros ou discos.

Foi o que aconteceu com o cineasta Lima Barreto. Ele esteve no programa para divulgar o lançamento do filme *Quelé do Pajeú*, de Anselmo Duarte, cujo roteiro tinha escrito. Fez questão de ser antipático. A certa altura da entrevista, distraída, Hebe olhou o relógio. Ele imediatamente comentou: "Aproveite e diga que seu relógio é uma gracinha." Hebe foi em frente. Ele deu mostras de que iria mostrar um livro para ela, mas recuou: "Ah... você não sabe ler." No meio de uma história sobre a ideia de um filme que lhe perseguiu a vida inteira, *O sertanejo*, mas que nunca conseguiu realizar, ele percebeu que Hebe se sensibilizava e tratou de cortar-lhe a emoção: "Chore! Agora é hora de chorar. As duas únicas coisas que você sabe fazer são rir e chorar." Hebe foi humilhada. A entrevista nunca foi ao ar. Nos oito anos em que a Record exibiu seu programa, essa foi uma das duas únicas entrevistas gravadas que não foram exibidas. A outra foi com o jornalista Maneco Müller, também conhecido pelo pseudônimo Jacinto de Thormes. A explicação de Hebe para o fato de o programa com Müller não ter ido ao ar era sucinta: "Ele foi inconveniente." O jornalista já tinha sido entrevistado por ela, sem problemas, no *O Mundo É das Mulheres* da Tupi carioca.

A fama de entrevistadora fútil começou a deixar possíveis entrevistados na defensiva. Ela se magoava com as críticas. Chorava. O fato de ter cursado somente a escola primária a fazia se sentir diminuída, despreparada para comandar o programa e não merecedora do prestígio que conquistou. Os críticos não percebiam o valor de Hebe, mas os entrevistados, mesmo os que chegavam desconfiados ao palco do Teatro Record, logo sucumbiam a qualidades que ela tinha de sobra: verve, simpatia e carisma.

Um bom exemplo é o do jornalista José Hamilton Ribeiro. Ele é dos poucos brasileiros que podem ser chamados de profissional da imprensa e herói de guerra. Repórter da revista mensal *Realidade*, uma das mais importantes publicações brasileiras da década de 1960, foi escalado para cobrir a Guerra do Vietnã. Voltou de lá com um livro e sem uma perna. O livro, *O gosto da guerra*, ele escreveu com o material não aproveitado pela revista; a perna, ele perdeu pisando numa mina terrestre enquanto estava trabalhando. Ao voltar ao Brasil, foi chamado para dar entrevistas a vários programas de televisão. E também para o de Hebe Camargo. Ele era o personagem ideal para o sofá: teria boas histórias, um depoimento dramático, enfim, era o tipo de entrevistado que a produção do programa procurava.

Alguns amigos recomendaram que ele não aceitasse o convite. "Ela vai acabar dizendo que a sua perna é uma gracinha", ponderou um deles. Mas o pessoal da *Realidade* foi favorável à ideia, e ele acabou aceitando. Mas foi com o único pé atrás e a disposição de revidar diante da primeira provocação. Ele seria o segundo entrevistado da noite. Entraria em cena logo depois de Aymoré Moreira, então técnico da seleção brasileira de futebol, e antes de Dener, o costureiro da elite paulista. A entrevista de Aymoré acabara, a plateia aplaudia, o técnico saía de cena, quando Hamilton Ribeiro ouviu um coordenador da produção gritar atrás dele: "Agora, aquele cara que quase morreu no Vietnã. Ficha seis." Ele se preparou para o pior e, alguns meses depois, em reportagem para a *Realidade* sobre a própria Hebe, descreveu o que sentiu quando se dirigiu ao palco:

"Sigo para o palco com a impressão de que chegou ao fim a minha dignidade humana. Para divertir o auditório, vou ser transformado em alvo do espetáculo, vão usar-me como se eu fosse um macaquinho de circo. Estou desconfiado, na defensiva. Caminho de cabeça baixa e, quando já no meio do palco, ergo o olhar, tenho um choque: está na minha frente uma figura luminosa, que irradia calor. Hebe olha-me nos olhos como se quisesse ver através deles a minha alma e toda a minha história. Apanha a minha mão direita e a fica apertando, como se há muito a quisesse apertar assim. Sempre com o olhar direto e firme me diz: 'Zé Hamilton, você não sabe a honra que eu sinto por poder apertar a sua mão. Este é um grande momento da minha vida.' Imediatamente minhas desconfianças desaparecem. Sinto-me outra vez digno, forte e seguro."

José Hamilton Ribeiro, como a maioria dos entrevistados por Hebe, foi vencido pela "hebice", termo cunhado por Walter Forster, o amigo da Rádio Difusora e inventor de seu papel de entrevistadora ao dar-lhe o comando de *O Mundo É das Mulheres*, ainda na TV Paulista. No perfil da apresentadora publicado pela *Realidade* em novembro de 1969, Forster foi um dos entrevistados por Ribeiro e definiu a "hebice": "O mistério de Hebe é que toda a sua simplicidade, autenticidade, espontaneidade, simpatia, vivacidade e malícia, isto é, toda a sua imensa capacidade de se comunicar envolve, como se fosse um gás, a pessoa do entrevistado, e este, mesmo que seja um homem formal ou um técnico bem quadrado, contagia-se e passa também a comunicar-se, a dizer coisas que o povo gosta de ouvir e entende. Sabe o que é? É o hebismo. O hebismo pega, contamina..."

Hebe sempre respondeu sem titubear qual foi a entrevista mais difícil de fazer durante os anos de ouro de seu programa na Record. Ela não considerava as conversas complicadas com Lima Barreto ou Maneco Müller, talvez porque nunca tenham ido ao ar. Não negava ainda que tinha sido dramática a passagem por seu sofá de Stäel Maria Abelha, a Miss Brasil 1961. Stäel entrou para a história do concurso como a primeira miss a renunciar ao título. No programa de Hebe, ela contou seus motivos, criticando os Diários Associados, organização que realizava o certame. Donos da maior cadeia de rádios e de emissoras de TV do Brasil, os Diários se vingaram com uma nota oficial que, no dia seguinte ao da exibição da entrevista, foi lida a cada sessenta minutos nas suas estações de rádio em todo o país, rebatendo as críticas da ex-miss. O nome de Hebe não era citado, mas a nota se referia àquela "coroa conhecida por suas gafes e insinuações maldosas". Hebe chorou uma semana inteira e jurou nunca mais pôr os pés numa emissora de rádio ou TV dos Associados.

Mas nada foi mais difícil do que enfrentar, no palco do Teatro Record, o escritor Rubem Braga. Principal cronista da imprensa brasileira, correspondente de guerra na campanha do Brasil na Itália, preso duas vezes no Estado Novo, ex-embaixador do país em Marrocos, dono de uma escrita lírica e bem-humorada, Braga parecia o entrevistado ideal, cheio de histórias para contar. Mas, ao vivo, mostrou-se o exemplo de pesadelo de todo entrevistador, dando respostas monossilábicas. Hebe nunca esqueceu a experiência. Foi melancólico. E melancolia era tudo o que ela evitava em seu programa. Na sua concepção, uma boa entrevista sempre terminava com uma sonora gargalhada.

Jô Soares lembra-se da vez em que serviu de intérprete para a participação de uma cantora francesa. "Não me lembro mais quem era. Era mais ou menos famosa. Mas, antes dela, Hebe entrevistou o Sheik", conta o comediante. Sheik era um vendedor de cocada na praia do Rio de Janeiro que chamava a atenção vestindo uma túnica branca e um turbante na cabeça. A tal cantora quis saber o que ele vendia. "C'est du coco", explicou Jô. A cantora, então, rebateu: "C'est très beau pour la peau." Jô não perdeu a piada: "Hebe, ela disse que cocô faz muito bem pra pele." A plateia explodiu numa sonora gargalhada. Para Hebe, a entrevista estava salva.

Cidinha Campos tem uma história parecida, mas com final diferente. "Um dia, nosso entrevistado era um corredor de Fórmula 1. Botaram um carro de corrida no palco. Ela me fez entrar no carro. Foi uma saia justa. Eu estava de vestido, salto alto e praticamente desapareci no cockpit. Ela então me perguntou: 'Como está se sentindo aí?' Eu não pensei duas vezes: 'Nunca me senti tão por baixo'. O auditório foi ao delírio. Ela não gostou. Quando eu roubava a cena, ela não gostava. Mas isso quase nunca acontecia. Não era fácil roubar a cena da Hebe."

Não variava também a resposta quando se perguntava a Hebe qual tinha sido sua melhor entrevista. Ela sempre se lembrava de Christian Barnard. "Por pouco não precisei de um transplante de coração em pleno palco", disse ela em entrevista a *O Cruzeiro*. "Imaginem só, uma caipira de Taubaté entrevistando o doutor Barnard. Quem diria? E o mais interessante é que eu nem estava preparada e quando o vi na boca do palco quase morri de susto."

A presença de Christian Barnard no programa foi mesmo um gol de letra da produção. Cirurgião obscuro da África do Sul, Christian Neethling Barnard tornou-se o queridinho do planeta quando, em dezembro de 1967, realizou o primeiro transplante de coração da história da medicina. No começo do ano seguinte, já como uma das pessoas mais famosas do mundo, ele esteve no Brasil e, é claro, sentou-se no sofá mais cobiçado do país. Embora fosse gravado, o programa corria como se fosse apresentado ao vivo. Hebe entrava no palco às 19h30 e só saía de lá quatro ou cinco horas depois. A cada sessenta minutos, ele era interrompido para que fosse trocada a fita de gravação. Mas essa interrupção era muito rápida para que a plateia não esfriasse. Quase nunca dava tempo de Hebe ser informada de alguma alteração no roteiro. Era comum acontecerem fatos nos bastidores que mudavam o que estava previsto para chegar à cena. Um convidado de última hora, uma personalidade que não aparecia, uma substituição inesperada — tudo podia acontecer, e Hebe só tomava conhecimento quando estava diante do novo entrevistado.

Foi assim com Christian Barnard. Hebe já estava no palco havia algumas horas quando a produção conseguiu convencê-lo a ir ao programa. Ela entrevistava Luiz Gonzaga, o rei do baião, quando viu o cirurgião na coxia. Ficou nervosa. A entrevista com Gonzagão acabou, e ela chamou o novo convidado. Barnard entrou no palco com uma intérprete (Jô não estava mais no programa), preparada para traduzir as perguntas de Hebe para o inglês e as respostas do médico para o português. De alguma maneira, uma ficha com perguntas chegou às mãos da apresentadora. Daí dá para ver que muito do despreparo atribuído a ela quando o entrevistado era mais sério podia ser creditado à produção. A pergunta que Hebe fez é quase incompreensível. Mas estava na ficha: "Nós gostaríamos de saber, na opinião do doutor Christian Barnard, que futuro ele vê para o tratamento do coração, o transplante direto como é feito agora, o uso de corações artificiais ou o uso de macacos vivos que poderiam ser bancos de corações e rins humanos, como as geladeiras já são usadas como bancos de sangue e de olhos."

Surpreendentemente, a intérprete conseguiu traduzir alguma coisa e Bernard respondeu. Durante alguns segundos, todos ficaram perplexos. Ninguém entendeu nada. Nem Hebe, nem a plateia, nem a intérprete. O cirurgião respondeu em africâner! Quando Hebe se deu conta do que estava acontecendo, teve a reação que as situações inesperadas lhe provocavam: caiu na risada. O auditório a acompanhou. A intérprete ficou desesperada: "A resposta foi dada em outra língua!" Hebe quase não conseguia mais falar. Ria sem parar enquanto balbuciava: "Ela não pode traduzir porque a resposta foi dada em outro idioma!" Todos se divertiram, inclusive o entrevistado. Christian Barnard saiu do programa usando um chapéu de cangaceiro, que Hebe tirou de Luiz Gonzaga.

Cenas assim fizeram *Hebe* atingir inacreditáveis 80% de audiência nos índices do Ibope. Na virada dos anos 1960 para os 1970, era o mais importante programa de entrevistas da televisão brasileira. Muita gente explica o seu sucesso dizendo que ela possuía o mesmo tipo de curiosidade que o público possuía, que fazia as mesmas perguntas que o público faria, que reagia às respostas da mesma maneira que o público reagiria. Desse jeito, estaria justificada a identificação dos espectadores com ela. Não é verdade. Se fosse assim, qualquer dona de casa poderia se sentar no sofá, receber convidados do mundo inteiro e hipnotizar plateias. O segredo de Hebe é que ela tinha a mesma curiosidade que o público acreditava ter, fazia as perguntas que o público acreditava que faria, reagia como o público acreditava que reagiria. Hebe era muito mais preparada do que imaginava ser.

Quando completou quatro anos na Record, Hebe já somava uma invejável coleção de números. Recebia seiscentas cartas por mês. Trocava de telefone a cada três meses (essa era a única maneira de fugir dos fãs inconvenientes que ligavam pedindo que ela lhes pagasse o aluguel, ou lhes desse uma geladeira, ou simplesmente os entrevistasse). Orgulhava-se de já ter feito mais de 1.600 entrevistas no programa de TV. E tinha de controlar uma média de oitenta pessoas por dia que batiam à sua porta na casa da rua Petrópolis.

A rotina na casa do Sumaré parecia bem mais calma do que a que envolvia o programa na Record. Ao descrever a residência da estrela em sua reportagem para a *Realidade,* José Hamilton Ribeiro é quase franciscano: "É grande, mas simples, ampliada várias vezes sem um plano diretor, com um anexo no quintal para as dependências dos empregados, e um salão para receber os amigos e para Décio Capuano (o marido) jogar pif-paf com parceiros certos." O repórter revela que Hebe não vai ao teatro "porque o marido não gosta, e a lugares públicos não vai sem ele".

É do período nessa casa que o filho de Hebe, Marcello, tem as melhores lembranças de infância. Foi de lá que ele partiu com os pais para viagens de férias na Disneylândia e em Bariloche. "Foi a melhor época da minha vida", diz ele hoje. "A época que me traz mais saudades. A gente tinha um Passat 1968 verde metálico. Eu almoçava todos os dias com a minha mãe. E passávamos o fim de semana na beira da piscina com as amigas dela." As amigas continuavam sendo Lolita Rodrigues e Nair Bello, que agora apareciam com os maridos. "O mundo era mais simples", resume Marcello.

Nem tão simples assim. Hebe e Décio tinham como vizinhos, no número 375 da mesma rua Petrópolis, uma família de americanos. O capitão Charles Chandler, herói da Guerra do Vietnã, ganhara uma bolsa de estudos para um curso de pós-graduação de sociologia e política na Fundação Armando Álvares Penteado. Veio para o Brasil com a mulher, Joan, e os quatro filhos. Alguns tinham mais ou menos a mesma idade de Marcello, e as crianças das duas famílias frequentavam as festas de aniversário umas das outras. No mais, Hebe acenava para o capitão ou para Joan quando cruzavam ao mesmo tempo o portão. Às vezes, a vida pacata no Sumaré era só aparência. O país, lá fora, vivia tempos de guerrilha urbana e ditadura militar, e o barulho que as festas provocavam chegou a bater à porta da casa do Sumaré. Mas, antes, telefonou. Quem atendeu foi Décio. Do outro lado da linha, alguém, sem se identificar, disse que era do grupo de Sábado Dinotos, que eles deviam tomar cuidado, que a família inteira corria perigo.

Sábado Dinotos era o pseudônimo de Aladino Félix, uma estranha figura que surgiu durante o começo da ditadura militar.

Ele dizia que estabelecia contato com seres extraterrestres, que iria derrubar o governo com seu exército de ETs e que iria comandar o mundo a partir de São Paulo. Foi entrevistado por Hebe em 1968. Algumas semanas depois, foi preso durante um atentado em frente ao Departamento de Ordem Política e Social (Dops), em São Paulo, quando confessou ser o autor de vários outros ataques supostamente terroristas, incluindo alguns assaltos a bancos. Enfim, é uma figura controvertida cujo papel na ditadura ainda não foi devidamente estabelecido. O certo é que, depois do telefonema anônimo, Hebe e Décio passaram a acreditar que ele atribuía sua prisão à participação no programa dela. A vigilância sobre Marcello foi redobrada. E Cinira, a babá do garoto, que era responsável também por controlar quem podia entrar ou não entre aquelas oitenta pessoas que tocavam a campainha diariamente, recebeu novas ordens: ninguém mais podia entrar sem autorização expressa de Hebe ou Décio. E ela devia ficar atenta a qualquer movimentação estranha.

Houve uma movimentação estranha no dia 9 de outubro de 1968, algumas semanas depois da prisão de Dinotos. Cinira percebeu um carro estacionado — um Fusca — em frente à casa, com três rapazes dentro. Eles faziam anotações, discutiam. O carro já estava lá havia duas horas quando ela avisou o patrão. Décio ligou para a polícia. Quando os policiais chegaram, o Fusca já tinha partido.

O mesmo carro reapareceu no dia 12. O relógio marcava quase 8h30. Cinira estava observando com um binóculo. Eram os mesmos três rapazes de três dias antes, o mesmo comportamento. Ela não esperou mais. Resolveu ligar para a polícia. Antes de tirar o fone do gancho, porém, a casa inteira despertou com um tiroteio na rua. Rajadas de metralhadora. O cachorro da casa, um pastor alemão gordo chamado Tinoco de Bergerac, ficou inquieto. Corre daqui, corre dali, o primeiro que teve coragem de abrir uma janela percebeu que o Fusca já saíra de lá, a polícia estava chegando e o corpo do discreto capitão Charles jazia perto do portão da casa vizinha.

A morte do capitão é atribuída a uma ação da Vanguarda Popular Revolucionária (VPR). Chandler estava há tempos na mira de grupos de guerrilha brasileiros. Eles acreditavam que o militar americano, na verdade, estivesse no Brasil ensinando técnicas de tortura para as polícias militar e civil a serviço da ditadura. Não por acaso, no Vietnã do Sul, ele teria comandado a aldeia de Quan Bo Tri, vista até hoje como um campo de tortura de soldados vietcongues. A primeira tentativa de pegá-lo foi exatamente no dia 9 de outubro, no intuito de marcar a passagem do primeiro aniversário da morte de Che Guevara. Mas, naquele dia, o capitão não saiu de casa no horário de costume. O grupo voltou à ação no dia 12, e aí o ataque deu certo.

O capitão Chandler foi promovido, depois de morto, a major do Exército americano. Aladino Félix chegou a ser solto sem cumprir a pena a que foi condenado, mas foi preso novamente e, aí sim, só foi libertado quando não devia mais nada à Justiça. Hebe continuou na TV entrevistando militares, ufólogos e quem mais rendesse uma boa história. E a casa do Sumaré... bem, a casa do Sumaré viveria novos tempos a partir de 1971, quando Hebe e Décio se desquitaram.

Nas revistas, Hebe e Décio viviam o casamento perfeito. Mas tudo indica que o marido não aceitava o fato de Hebe brilhar mais do que ele. "O Décio não se conformava de ela fazer televisão", diz um dos produtores do programa na Record. "Ele não se conformava com o sucesso dela. De repente, ele virou o marido da Hebe. E não gostava disso. Era ele quem a levava para o teatro. Quase sempre, ela ainda estava saindo do carro, quando ele acelerava e ela batia a porta. E ela ficava ali, sozinha na Consolação. Chegava ao teatro abalada, sofrida com essa pequena violência. Teve um dia em que ela chegou chorando, gritando, dizendo: 'Esse filho da puta não pode fazer isso comigo.' Com raiva, socou o batente de uma porta, e o solitário que ela trazia no dedo ficou preso na madeira. O choro virou riso. Alguém teve que pegar uma chave de fenda para retirar o anel do batente sem machucar a mão dela. Ela não parava de rir. Era a Hebe, né?"

Hebe resumiu a situação de seu relacionamento com Décio de uma maneira mais discreta: "Havia problemas de eu ser uma pessoa famosa e ele, não." Muitos anos depois, em 2010, numa entrevista a Marília Gabriela, Hebe pintou Décio com cores diferentes daquele marido mal-humorado que a deixava na rua da Consolação. Ao definir o homem brasileiro como alguém que gosta de mandar, que não aceita a luta das mulheres pela independência, ela disse: "Mas o Décio não tinha um espírito mandão. Pelo contrário, ele se deixava mandar por mim."

O fato é que, sete anos depois de ser um dos protagonistas do casamento da temporada, Décio saiu da casa do Sumaré e voltou a morar com a mãe, num prédio de três andares que a família Capuano mantinha na Barra Funda. Marcello ficou morando com Hebe. "Eu tinha de 5 pra 6 anos", recorda-se Marcello. "Minha mãe me perguntou: 'Você prefere ter duas casas com seu pai e sua mãe como amigos ou uma casa só com os dois brigando?' E eles foram amigos até o fim da vida. Meu pai casou de novo, teve outro filho, mas ele e minha mãe sempre tiveram uma relação boa. Eles davam muita risada. Eles contavam que, no dia do desquite, riam tanto, mostravam tanta cumplicidade, que o juiz perguntou: 'Vocês têm certeza de que querem se separar?' No fim da vida dele, já no hospital, ele dizia pra minha mãe: 'Hebe, quando eu sair daqui, a gente precisa ter uma conversa séria.' Ela sempre foi o grande amor da vida dele."

Por que, então, a relação se desgastou a ponto de chegar à separação? Em entrevista à revista *Amiga*, publicada em agosto de 1990, Hebe descreveu aquele período: "Meu sucesso crescia a cada dia. Evidentemente, isso influiu no meu relacionamento. Era muito requisitada para festas e jantares. Ele não gostava de ir porque se sentia preterido. Tenho consciência de que minha carreira prejudicou meu casamento com Décio."

Talvez Cidinha Campos, uma amiga daqueles tempos, seja quem melhor tenha sintetizado o motivo da separação: "O Décio não era homem para ser casado com uma estrela." Lolita Rodrigues também tem seu palpite: "Ela gostava de Décio. Mas não era aquele amor que tinha pelo Luís ou pelo Peppino."

Nos oito anos que ficou na Record, o programa de Hebe passou por duas fases. Na primeira metade dessa temporada, ela conheceu o sucesso. Na segunda metade, esteve sempre lutando contra uma crise de audiência. No começo, a Record continuava investindo em musicais, com pelo menos duas atrações especiais: os festivais de música popular e o *Show do Dia 7*. Hebe era escalada para os dois.

A era dos festivais de música popular começou em 1965 por iniciativa da rival TV Excelsior. Foi esse primeiro festival que revelou Elis Regina, ganhadora do concurso com "Arrastão", de

"MEU SUCESSO CRESCIA A CADA DIA"

Edu Lobo e Vinicius de Moraes. Nesse mesmo ano, Elis passou a fazer parte do elenco da Record. Um ano depois, quando a Excelsior organizou seu segundo festival, não havia uma só estrela da MPB para concorrer como intérprete. Os principais nomes eram todos da Record. Então, a Record resolveu fazer o seu próprio festival. Foi a época de "A banda", "Disparada", "Roda viva"... e das vaias. O público, isto é, o auditório da TV Record, não aceitava guitarras ou cantores que não fossem identificados com a MPB. Quem ousasse usar instrumentos que precisassem ser ligados na tomada era recebido com vaias. Um cantor que ameaçasse a vitória de Elis, Jair Rodrigues ou qualquer ídolo da MPB era vaiado também. Os festivais não tiveram vida longa. A Record fez sucesso com os concursos de 1966 e 1967. Os de 1968 e 1969 já não alcançaram tanta repercussão, e depois disso não houve mais nenhum. A questão da vaia a emissora tentou resolver convocando suas estrelas para participar da festa. Acreditava-se que ninguém teria coragem de vaiar Roberto Carlos, Erasmo Carlos ou Ronnie Von. Foi assim que Hebe participou do festival de 1967. Ela seria uma das "invaiáveis". E recebeu a única vaia de toda a sua carreira.

A fórmula do festival era sempre a mesma. Um grupo de jurados ouvia todas as músicas inscritas e selecionava 36 canções para participar da competição. Elas eram divididas, por sorteio, em três grupos de 12. Cada um desses grupos formava o repertório de uma eliminatória. Em cada eliminatória, um júri escolhia quatro canções para participar da final. Assim, a final acontecia com 12 canções disputando o primeiro lugar.

Para o festival de 1967, a Record estava usando como auditório um teatro maior que o da Consolação. Chamado de Teatro

Record-Centro, era, na verdade, o antigo Teatro Paramount, na rua Brigadeiro Luís Antônio, erguido em 1929 para ser o primeiro cinema sonoro da América Latina, com capacidade para mais de 1.500 espectadores. A canção defendida por Hebe foi sorteada para a terceira eliminatória. "Volta amanhã", de Fernando César e Mariah Brito, seria a 11ª música a ser apresentada. A penúltima de todo o festival.

Naquela noite de 14 de outubro de 1967, o público já conhecia oito classificadas e tinha suas favoritas. "Ponteio", de Edu Lobo e Capinan, "Roda viva", de Chico Buarque, e "Domingo no parque", de Gilberto Gil, já possuíam suas torcidas. Entre as músicas mostradas antes da canção defendida por Hebe, o público também tinha suas preferências. "Gabriela", de Maranhão, "Alegria, alegria", de Caetano Veloso, "Ventania", de Geraldo Vandré, eram as favoritas da noite. O difícil seria escolher uma quarta composição para completar o número de finalistas. Havia uma música estranha, um samba de harmonia difícil, que dividiu o público, "Beto bom de bola", de Sérgio Ricardo. Havia um partido alto, "Menina moça", interpretado por um novo compositor, Martinho da Vila, que aparecia pela primeira vez na televisão.

Naqueles tempos, a plateia aderia ao que era chamado de "música de festival". A canção de Hebe não tinha as características de uma "música de festival". Não tinha um refrão forte, nem uma virada que fizesse o público aplaudir no meio. "Volta amanhã" era um samba-canção, gênero completamente fora de moda. Mas isso pouco importa. O auditório do Paramount demonstrou que não estava interessado nem em ouvir a canção que Hebe iria mostrar. Quando os apresentadores Blota Júnior e Sônia Ribeiro anunciaram o nome da cantora, uma vaia ensurdecedora foi ouvida. E ela durou todo o tempo em que Hebe esteve em cena. Ela entrou no palco com uma rosa vermelha na mão direita e uma medalhinha de Nossa Senhora Aparecida na outra. Diante do microfone, imóvel, Hebe enfrentou a ira do público com altivez. Numa das mãos, despedaçava a rosa; na outra, amassava a medalhinha. Ninguém ouviu "Volta amanhã". Mas a interpretação de Hebe foi inesquecível.

Como esperado, foram classificadas "Gabriela", "Alegria, alegria" e "Ventania". A quarta canção acabou sendo "Beto bom de bola", que entraria para a história dos festivais, na semana seguinte, durante a etapa final: foi tão vaiada que Sérgio Ricardo interrompeu a canção no meio, quebrou o violão que usava e o jogou sobre a plateia. Mas, naquela noite, nenhum artista foi mais vaiado do que Hebe.

Há quem tente amenizar o que aconteceu dizendo que as vaias foram distribuídas de forma igualitária entre todos os cantores. "Todos foram vaiados", diz Agnaldo Rayol, que, naquela noite, estava entre os "invaiáveis", defendendo "Anda que te anda", uma inusitada parceria de Ary Toledo e Mário Lago. "Tanto que o festival ficou conhecido como festivaia." Agnaldo está protegendo a amiga. No livro *A era dos festivais — uma parábola*, o mais bem documentado registro da época dos festivais, Zuza Homem de Mello define a participação de Hebe naquela terceira eliminatória do festival de 1967 como "a grande vaia desta noite". E acrescenta: "Hebe teve que enfrentar aquela situação constrangedora durante todo o tempo em que cantou."

Muitas biografias de Hebe espalhadas pela internet garantem que ela ficou tão traumatizada com a experiência que resolveu nunca mais cantar. Não é verdade. O trauma que a fez desistir da carreira musical se instalaria alguns anos depois. Após a vaia no Paramount, ela nunca mais aceitou participar de um festival. Mas, no domingo seguinte, já estava cantando na abertura de seu programa na Record. "A vaia foi horrível, mas o dia seguinte foi maravilhoso", disse no perfil que ganhou da revista *Realidade*. "Minha casa ficou repleta de flores e telegramas, e o telefone não parou de tocar. Até o general Syzeno telefonou para me confortar", acrescentou, referindo-se a Syzeno Sarmento, comandante do I Exército nos primeiros anos da ditadura militar. Talvez mais por ingenuidade do que por convicções políticas, Hebe sempre piscava um olho para autoridades da ditadura. Isso não lhe trazia a simpatia dos intelectuais identificados com a esquerda. Na casa do Sumaré, Hebe tinha um diploma pendurado na parede. Nele se podia ler: "Diploma-Homenagem a Hebe Camargo pela colaboração prestada na divulgação do primeiro aniversário do governo do presidente Costa e Silva." Ela se orgulhava da homenagem: "Quem disse que eu só tenho o diploma da escola primária? Este é um senhor diploma."

CAPÍTULO 7

"E O AGNALDO?"

Mesmo traumatizada com a experiência no festival, Hebe não abandonou "Volta amanhã". Essa foi uma das 12 canções do disco que gravou no ano seguinte à sua entrada na Record. Embora sua carreira na TV tenha sido interrompida, a trajetória no disco se mantinha constante. Depois de casada, Hebe ainda viu dois discos seus serem lançados. E agora, retomando a carreira de apresentadora, não queria abandonar a de cantora. O disco, gravado pela Odeon e chamado simplesmente *Hebe*, tem a cara daqueles tempos da Record. Capa e contracapa usam fotos da artista em preto e branco, o jeito como ela aparecia nos televisores. Alguns dos compositores escalados para o repertório eram contratados da emissora. *Hebe* traz duas canções de Chico Buarque ("Realejo" e "Carolina"), uma de Roberto Carlos ("Estou começando a chorar") e uma de Martinha ("Eu daria a minha vida"). Além de "Volta amanhã", ela pescou outra música na safra do festival de 1967: "Maria, Carnaval e cinzas", de Luiz Carlos Paraná. Na competição, "Maria, Carnaval e cinzas" tinha sido defendida por Roberto Carlos e se tornado a mais vaiada na sua noite de apresentação. Hebe era solidária com as vaias.

Embora tenha se afastado dos festivais, ela não rejeitou o outro programa especial da Record. Adorava participar do *Show do Dia 7*. E, apesar de o programa investir no elenco de cantores da emissora, Hebe se destacou como comediante. O *Show do Dia 7* acontecia uma vez por mês, no dia 7, naturalmente, uma referência ao número do canal da TV Record. Era um espetáculo diferente a cada mês, sempre contando com o elenco musical da emissora. A estreia de Hebe foi na edição de 7 de julho de 1967. Naquele ano, a Record tinha lançado, nas noites de sábado, um programa humorístico que fazia tanto sucesso quanto seus musicais. Era *Família Trapo*, uma comédia gravada ao vivo sobre uma turma desajustada vivida por Otelo Zeloni, Renata Fronzi (os pais), Cidinha Campos e Ricardo Corte Real (os filhos). Jô Soares era o mordomo, e quase toda a graça ficava em cima da participação de Ronald Golias, o cunhado Bronco, que se encostava na casa dos Trapo. Pois naquele show do dia 7 a Record quis aproveitar o sucesso desse programa. No palco do Teatro Record, a família Trapo comemorava o aniversário de Bronco, fazendo uma festa surpresa da qual participavam os cantores da emissora. Cada cantor que entrava no palco fazia seu número e continuava em cena, comendo um salgadinho, tomando um uísque. Aos poucos, o palco do teatro foi se transformando num salão de festas de verdade. A Família Trapo toda ali, os conjuntos que acompanhavam os cantores e Elizeth Cardoso, Jair Rodrigues, MPB4, Os VIPs, Ronnie Von, Wilson Simonal... Uma festa e tanto! E a Hebe?

"E O AGNALDO?"

Bem, Hebe aparece logo no início do programa no papel de Benedita, uma empregada contratada pelos Trapo especialmente para a festa. Uniformizada, sua única função era servir as bebidas e recolher os copos usados. E foi o que Hebe fez durante todo o programa, com evidente satisfação. Trazia bebidas da coxia, levava copos usados para dentro, renovava a bebida dos cantores. Não tinha diálogos, não cantava. Era uma empregada de verdade!

Mas ali aconteceu a magia dos encontros artísticos inesperados. De vez em quando, Golias gritava alguma coisa para ela, e Hebe saía correndo pelo palco. Puro improviso. O público morria de rir. Só isso. "Gata!", gritava Golias, e Hebe, aparentando susto, saía correndo. Instantaneamente, foi criada uma das duplas humorísticas mais bem-sucedidas da TV Record: Hebe Camargo e Ronald Golias.

Em outros programas do *Show do Dia 7*, eles voltaram a aparecer, mas como protagonistas absolutos. Estrelaram uma sátira de *Romeu e Julieta*, com Hebe e Golias interpretando o casal de adolescentes criado por Shakespeare. Em outra, ela foi Cleópatra, e ele, Marco Antônio. Em sátira ao livro *A dama das camélias*, ela fazia Marguerite, e ele, Armand. Diferentemente de "O Aniversário do Bronco", nesses quadros Hebe tinha textos para decorar. Mas isso não era importante. O público gostava dos improvisos de Golias, de Hebe esquecendo o texto e rindo das piadas de seu colega de cena.

Enquanto tudo corria bem no *Show do Dia 7*, Hebe enfrentava problemas em seu programa dominical. Cada vez eram mais comentadas as supostas gafes que ela cometia nas entrevistas. Havia mesmo quem assistisse ao programa apenas para tomar conhecimento, em primeira mão, das mancadas da apresentadora. Houve, porém, um tipo de gafe natural que ela cometeu durante determinado período de que ninguém parece ter se dado conta. Foi quando a equipe de produtores achou que ela deveria trabalhar com um ponto eletrônico, aquele aparelhinho, usado até hoje, que o apresentador põe no ouvido para orientações da direção. Assim, sem que o espectador percebesse, Hebe podia receber sugestões de perguntas, instruções para encerrar mais cedo uma entrevista, dicas para prolongar a conversa... Mas ela nunca se adaptou ao aparelho, e volta e meia conversava com alguém que ninguém mais via. "Mas isso eu já perguntei", ela disparava no meio de uma entrevista. "Ah... não tenho coragem de perguntar isso", dizia. "Mas eu não tenho mais nada para perguntar", queixava-se, sempre ao vivo. Os produtores acharam melhor aposentar o ponto eletrônico e contar só com a verve espontânea da Hebe.

As gafes da Hebe tornaram-se lendas urbanas. Havia sempre um amigo de um amigo que tinha visto ela perguntar ao Trio Irakitan quantos integrantes formavam o grupo. Dependendo da versão, a pergunta teria sido feita ao Quarteto em Cy. Ou ao Luiz Loy Quinteto. São tantas as versões que é mais prudente acreditar que nada disso nunca tenha acontecido.

Comentava-se muito, também, o vexame que a apresentadora teria passado ao perguntar ao escritor alemão Hermann Hesse se ele dormia de pijama. Isso é lá pergunta que se faça a um intelectual importante, que recebeu o prêmio Nobel? Não, e na verdade Hebe nunca lhe fez essa pergunta. Até porque Hermann Hesse morreu em 1962, quatro anos antes de a artista estrear seu programa dominical. Ele nunca foi entrevistado por ela.

"E O AGNALDO?"

Hebe teria perguntado a Neil Armstrong se na Lua tem luar, a Christian Barnard se um transplante de coração pode mudar o sentimento do transplantado, se... São muitas as perguntas atribuídas a Hebe que nunca foram feitas. A única gafe que ela admitia e da qual toda a equipe de seu programa se lembra aconteceu quando o entrevistado era o Dr. Euryclides Zerbini, responsável pela primeira cirurgia de transplante de coração realizada no Brasil. Do mesmo programa participou Agnaldo Rayol. Havia sempre uma desculpa para Agnaldo aparecer no *Hebe*. Quando os produtores mostravam à apresentadora a lista de convidados da semana, ela sempre perguntava: "E o Agnaldo?" Os produtores tentavam justificar a ausência: "O Agnaldo veio na semana passada." Hebe se conformava: "Então tá. Mas não se esquece de convidá-lo para a semana que vem."

Na semana do Dr. Zerbini, Agnaldo estava lançando no programa um disco chamado *Balada do Coração*. A novidade era que, como acompanhamento da música, haviam sido gravadas as próprias batidas do coração de Agnaldo. Hebe sempre admitiu que na ocasião não sabia quem era Zerbini. Quando o viu no palco, imaginou que tivesse sido o responsável pela gravação das batidas do coração do cantor. E só fazia perguntas sobre isso. Zerbini não entendia o porquê daquelas questões e ficava sem responder. No fim, se sentiu desrespeitado. Hebe precisou pedir desculpas na semana seguinte. Ao que se saiba, em oito anos de programa, com mais de uma dezena de entrevistados por domingo, essa foi a única gafe comprovada de Hebe Camargo. É muito pouco para lhe atribuir a fama de rainha das gafes.

Além de lutar contra as maledicências, Hebe passou a enfrentar uma nova televisão. O modelo não era mais o de fitas de videoteipe percorrendo o país. O que funcionava agora era a transmissão em rede — ao vivo do Rio ou de São Paulo para ser exibido simultaneamente de Porto Alegre a Belém. Na verdade, a transmissão passou a ser feita via satélite. Durante o dia, os programas gravados, como os capítulos de novelas ou shows, eram transmitidos para emissoras de todo o país. À noite, todas exibiam o mesmo programa no mesmo horário. O telejornal era apresentado ao vivo. Pouco a pouco, alguns shows especiais passaram a ser transmitidos ao vivo via satélite também. Era assim que o *Buzina do Chacrinha*, o programa de calouros apresentado por Abelardo Barbosa aos domingos, ia ao ar na Globo. Era assim também que o *Programa Flávio Cavalcanti*, a atração dominical de variedades da Rede Tupi, chegava a todos os lares brasileiros ao mesmo tempo. De repente, a Record virou uma emissora ultrapassada. As outras estações transformaram-se em redes de televisão, e ela ficou para trás. Em pouco tempo, *Hebe* foi se limitando a ser um programa regional, enquanto seus principais concorrentes — Chacrinha e Flávio Cavalcanti — já surgiam como atrações nacionais.

Os musicais começaram a perder força. *O Fino da Bossa* saiu do ar em 1968. Elis Regina ainda ganhou um programa mensal, mas que ficou pouco tempo no ar. A Record tentou novos títulos, como *Pra Ver a Banda Passar*, com Chico Buarque e Nara Leão, que não resistiram muito tempo. No mesmo 1968, veio a perda mais sentida. *Jovem Guarda* saiu do ar, e Roberto Carlos não renovou seu contrato com a Record. Mal ou bem, Hebe dependia dos contratados da casa para animar seu programa. E o elenco foi ficando cada vez menor.

A Record tentava incrementar a atração de sua maior estrela. Quando o programa completou quatro anos no ar, foi produzida uma edição especial ao vivo, transmitida diretamente do Teatro Municipal de São Paulo. A apresentadora continuava prestigiada. Quando os musicais deixaram de trazer audiência, a Record usou as armas da concorrência e passou a produzir novelas também. O primeiro sucesso da emissora no gênero — *As Pupilas do Senhor Reitor*, uma adaptação do romance de Júlio Dinis — tinha Agnaldo Rayol como galã e Hebe como uma cantora de fado. Ela entrou em cena na reta final da novela, no começo de 1971, e é possível supor que a própria Hebe tenha batizado sua personagem, já que ela se chamava Magali Porto — o mesmo pseudônimo que tinha usado por um curto período de tempo na Rádio Difusora.

O sucesso na novela não ajudou a alimentar a audiência do programa de domingo. Os concorrentes estavam afiados. Na Globo, o dia começava com Silvio Santos e terminava com Chacrinha. Na Tupi, Flávio Cavalcanti batia de frente com o sofá já não tão famoso. A própria Record passou a investir num programa de entrevistas mais moderno — *Dia D*, liderado por Cidinha Campos. A antiga colega de domingo tornou-se rival, ganhando um horário só para ela às segundas-feiras. Era o oposto do programa de Hebe. Números musicais gravados em estúdio, reportagens externas. Se o entrevistado não ia até Cidinha, Cidinha ia até o entrevistado. As duas artistas passaram a disputar a primazia de entrevistar uma ou outra personalidade. A direção da Record, então, estabeleceu: se a entrevista for no teatro, é da Hebe; se for na rua, é da Cidinha. O programa de Cidinha fez sucesso, o que deixou o programa de Hebe com fama de ultrapassado.

De 1966, quando estreou na Record, a 1971, quando viveu sua maior crise de audiência, Hebe não faltou a uma só gravação.

Domingo após domingo, sem férias, enfrentando mais de mil convidados, ela sempre estava lá. Até que, depois de cinco anos no ar, Hebe perdeu o pai. Seu Fego faleceu aos 83 anos, e pela primeira vez a artista não se sentiu em condições de gravar. Foi como um divisor de águas. Hebe nunca mais retomou o protagonismo nas noites de domingo. Os dois anos seguintes foram de decadência. Até que, em março de 1973, *Hebe*, o programa que tinha revolucionado o gênero de entrevistas na televisão brasileira, saiu do ar.

Não era um fim definitivo. A ideia da Record era deixar Hebe fora do ar por seis meses enquanto elaborava inovações para o programa. A apresentadora, então, resolveu tirar férias de verdade e, na companhia da amiga Leonor Teixeira, a primeira fã, aquela de Santos, fez sua primeira viagem à Europa. Foram três semanas numa excursão a Londres e Paris. Leonor ainda guarda os recibos do Hôtel Saint-Jacques, no 14º arrondissement, e a lembrança de uma visita à Tower Bridge. E ainda se diverte com a recordação de que ela e Hebe aproveitaram a viagem para assistir a filmes que estavam censurados no Brasil. Em Londres, foi *Laranja mecânica*, de Stanley Kubrick; em Paris, *O último tango em Paris*, de Bernardo Bertolucci. Para o filme de Bertolucci, tiveram a companhia do costureiro Clodovil, que fez tradução simultânea para elas. "Mas nem precisava", garante Leonor. "Era tudo muito explícito."

Hebe só voltou ao ar na Record em setembro de 1973, trocando as noites de domingo pelas de quarta-feira, mas as novidades não eram muito estimulantes. A concorrência continuou forte, pois quarta era o dia da *Discoteca do Chacrinha* na Globo. A artista prometeu que não diria mais "que gracinha" no ar. Sua estreia foi o primeiro programa em cores transmitido pela emissora, mas a maior mudança foi mesmo no formato: Hebe perdeu o auditório, e o programa passou a ter 90% de entrevistas e reportagens externas. Ficou mais parecido com o de Cidinha. Não deu certo.

A Record fez mais uma tentativa de recuperar a audiência de Hebe. Aos sábados, a estação fazia algum sucesso com o programa *Sambão*, apresentado por Elizeth Cardoso, outra sobrevivente dos bons tempos dos shows musicais. A direção decidiu então trocar o certo pelo duvidoso. Eliminou o *Sambão* da programação e criou uma nova atração — *Ela e Ela* —, a ser apresentada por Elizeth e Hebe. Foram só duas edições até Hebe, enfim, desistir. Em 1974, ela saiu da emissora. Na época, ganhava 27 mil cruzeiros por mês. "Meu salário estava um pouco alto para a Record", ironizou.

A fase de desemprego não durou quase nada. Hebe recebeu um convite para levar seu programa para a TV Tupi. Finalmente trabalharia na emissora cujo primeiro equipamento tinha buscado no Porto de Santos, quase 25 anos antes. O novo programa tinha mais ou menos o mesmo formato do *Hebe* dos últimos tempos na Record. Muito estúdio, pouco auditório. Hebe até gostou da nova emissora nos primeiros três meses de trabalho, mas, depois, se lembraria da passagem pela Tupi como "a pior experiência profissional" de toda a sua vida, graças a Wilton Franco, que entrou para a equipe de produção do seu programa.

Franco trabalhou em todas as estações de televisão do país. Identificava-se muito com atrações populares e, se possível, sensacionalistas. Não tinha nada a ver com Hebe. No trato no estúdio, era um pouco grosseiro. Fez Hebe voltar a usar ponto eletrônico, que ela tinha abandonado logo no começo das gravações de seu programa na Record, para dar ordens a ela sem gritar. A convivência entre os dois nunca foi muito boa, e ficou impossível quando um comentário dele vazou no ponto eletrônico. Hebe estava iniciando a gravação de um programa e, como ela gostava de fazer, cantava uma música. Era "Universo do teu corpo", de Taiguara. Ela ainda estava na primeira estrofe quando ouviu o comentário de Wilton Franco com um colega de produção: "Alguém precisa ensinar essa velha a cantar. Como desafina!"

Hebe seguiu em frente, mas começou a contar os dias para o fim de seu contrato com a estação. Ficou um ano na Tupi, fazendo um programa do qual não gostava. Pior: abalada com o comentário do diretor, jurou nunca mais cantar em público ou gravar um disco. Abrindo poucas exceções, ela cumpriu o juramento por vinte anos.

CAPÍTULO 8

"NÓS QUEREMOS E PODEMOS"

"Estou vivendo uma das melhores fases de minha vida, pois agora encontrei o amor definitivo. Aos 46 anos de idade, tenho uma dimensão diferente do amor. Tanto eu quanto ele estamos mais amadurecidos e existe muito mais compreensão. Ao se amar aos vinte anos, pensa-se que tudo é cor-de-rosa, que são só alegrias e não existe sofrimento. E este engano faz com que as pessoas sofram muito e só depois venham a conhecer o verdadeiro amor, que é feito de alegrias e tristezas, de angústias e felicidades."

O depoimento de Hebe Camargo foi dado, no fim de 1973, à repórter Léa Penteado para a revista *Sétimo Céu*. Enquanto vivia seus últimos tempos na Record e ainda não tinha iniciado a traumática experiência na Tupi, Hebe anunciava um novo amor.

A apresentadora chegou aos anos 1970 acumulando um casamento desfeito, muitos namoros frustrados, alguns casos que acabaram mal e a crença de que, depois dos quarenta, dificilmente voltaria a viver uma grande paixão. "Sei que fui muito amada", disse na época. "Quase sempre, no entanto, por pessoas erradas, fracas demais." Pois foi com esse pessimismo afetivo que Hebe conheceu o homem com quem viveria por mais tempo. Há quem interprete que aquele era justamente o momento de Hebe conhecer alguém. Leonor, a fã que a acompanhou na excursão à Europa alguns meses antes, credita a essa viagem a transformação de Hebe numa pessoa que se abriu de novo para um relacionamento. "Quando voltou, ela estava com a cabeça tão boa que acabou conhecendo o Lélio", analisa Leonor.

"Hebe era muito namoradeira", diz a amiga Lolita Rodrigues. "Mas sempre era um de cada vez." O "da vez" daquele 1973 era Lélio Ravagnani. "Quando o conheci, através de um amigo comum, eu estava em estado de desencanto. Só me interessava pelo meu filho e pelo meu trabalho. Não pensava na possibilidade de amar novamente. Ele estava em busca de um amor, e assim aconteceu", continuou em seu depoimento à *Sétimo Céu*, que foi intitulado pela revista de "O amor proibido de Hebe Camargo". Lélio Ravagnani tinha 52 anos e era um empresário que vendia, no mercado brasileiro, máquinas operatrizes adquiridas em outros países. Comprava barato, vendia caro. Ficou rico. "O que mais me impressionou nele foi a alegria que tem de viver. A exuberância e a vitalidade dele não demonstram em momento algum os seus 52 anos. Ele me estimula demais, se orgulha de mim como mulher e profissional e me dá a alegria maior que eu transmito para os que me assistem e me conhecem."

Nascido em Birigui, no interior de São Paulo, Lélio ficou órfão de mãe cedo e foi criado numa fazenda pela avó. Estudou como aluno interno de um colégio de padres em Franca e foi para São Paulo, na época em que tinha idade para fazer o exame vestibular. Queria ser engenheiro mecânico, mas não passou nas provas. Descobriu, então, que, em vez de desenhar máquinas, seria mais fácil vendê-las. Quando conheceu Hebe, era dono da Corema S/A, revendedora no Brasil da Bridgeport Machines, poderosa fabricante americana de máquinas industriais. Logo depois, criou, em sociedade com o governo polonês, a Cormex, revendedora do mesmo tipo de máquina, mas agora com selo de fabricação na Polônia, que fazia negócios com o governo brasileiro. Em outras palavras, era um empresário bem-sucedido. Mas por que cargas-d'água a *Sétimo Céu* chamou o romance de "amor proibido"? Quem explica é Marcello, o filho de Hebe: "Lélio era casado."

"Ainda não posso mostrar o meu amor conforme gostaria, pois alguns probleminhas nos impedem de dividir com todos a nossa alegria", insinuava Hebe no relato à revista. "Mas o meu orgulho por ele é enorme, só ficando menor que o meu amor e, logo que puder mostrar, vocês saberão por que eu sou tão feliz amando esse homem."

Com dois filhos adultos — Leila e Lelinho — , Lélio vivia uma união desgastada com Maria Aparecida. Na prática, não se consideravam mais um casal, o que permitia a ele outros namoros eventuais. "De família italiana antiga, só de pensar em desquite ou divórcio, eu ficava traumatizado", revelou ele numa entrevista aos repórteres Décio Piccinini e Luizinho Coruja, da revista *Contigo*, em abril de 1988. "Por isso, tanto eu quanto a Maria Aparecida fomos adiando a decisão."

Para conhecer Hebe, Lélio contou com a cumplicidade de um amigo que os dois tinham em comum, o empresário Eron

Alves de Oliveira. Eron ganhou fortuna criando o Erontex, um carnê de prêmios que, após fazer o comprador poupar obrigatoriamente por determinado tempo, lhe dava o direito a receber uma cesta de Natal. Além de milionário, Eron ficou popular, graças aos programas de TV que seu carnê patrocinava. Geralmente eram programas de prêmios. Mas não só. Foi o Erontex, por exemplo, que ajudou a bancar uma turnê do cantor americano Ray Charles no Brasil. Tinha sido também o patrocinador do malfadado programa de Hebe na Tupi. Pois foi com esse currículo que Eron procurou a apresentadora dizendo que tinha uma ideia para bancar um novo programa dela. Eron tinha sido o patrocinador do malfadado programa na Tupi. Já insatisfeita com o que estavam lhe oferecendo na Record, ela marcou uma reunião na sua casa. Eron chegou acompanhado de um amigo. Era Lélio.

Numa conversa regada a uísque e champanhe que rendeu até as quatro da manhã, Lélio foi exuberante, divertido, sedutor. Chamou a atenção. Era isso o que queria. Sobre o tal programa novo, nada foi conversado. Quinze dias depois, Lélio telefonou, convidando Hebe para ouvir Dick Farney, que fazia uma temporada na boate Regine's. Lélio estava sempre lá com Sheila, uma namorada que tinha na época. Sheila era loura. Cada vez que o casal entrava na boate, Farney cantava um de seus maiores sucessos, "Uma loira", de Hervé Cordovil. "Todos nós temos na vida/ Um caso, uma loira/ Você, você também tem." Naquela noite, Lélio percebeu que Sheila não era bem a loura com quem ele gostaria de passar a noite. Dick Farney estava vivendo um *revival* da carreira e destruindo corações quarentões com seu repertório romântico. O Regine's era um dos clubes privês que começavam a fazer sucesso na noite paulistana com selo de qualidade estrangeiro (no caso do Regine's, o selo vinha do histórico na noite parisiense). Não havia ambiente mais propício para o começo de um romance na maturidade. Hebe foi encontrá-lo. Na volta, Lélio deixou Sheila em casa primeiro. Depois, na hora de se despedir de Hebe, deu-lhe um beijo. Ou, como gostam de dizer as versões mais românticas de primeiros encontros, roubou-lhe um beijo. "Ela tentou reagir", contou Lélio numa entrevista à *Contigo* anos depois. "Mas eu, quando agarro, é pra valer, não solto fácil." No relato à *Sétimo Céu*, Hebe se recordava da cena de maneira mais romântica: "Foi um beijo daqueles de ouvir sininhos."

No dia seguinte, Lélio mandou uma braçada de rosas para a nova amiga e telefonou para confirmar se ela tinha recebido o presente. Quem atendeu foi uma empregada, que, confusa, respondeu que as flores tinham chegado, mas não naquele dia, e sim na véspera. Imaginando que um rival estivesse rondando a mesma presa, Lélio caprichou em um novo presente: uma cesta com caviar, cerejas, marrom-glacê, queijos franceses e um cartão que dizia: "Como as rosas não foram muito originais, espero que esses marrons-glacês sejam." Hebe conta o fim da história à repórter de *Sétimo Céu*: "Aí ele me pegou pela letra, que é linda, pelas rosas vermelhas, que foram as mais lindas que já recebi em minha vida, e pela originalidade da cesta."

A receita de Lélio para conquistar Hebe foi incomum: boa caligrafia, rosas bem escolhidas, cestas criativas e, principalmente, uma dose caprichada de excentricidade. Depois das rosas com marrom-glacê, Lélio passou alguns dias sumido. O contato seguinte foi um telefonema diretamente de Tóquio, onde estava a trabalho. Ele dizia que estaria no fim de semana seguinte em Paris e que mandaria passagens de avião para ela encontrá-lo lá. Hebe riu, não levou a sério e, 24 horas depois, as passagens chegaram a sua casa. "E não é que eu fui?", revelou ela numa entrevista à revista *Caras*, vinte anos depois.

Hebe passou a ser Hebinha para Lélio, o namoro começou e o "amor proibido" durou ainda pelo menos dois anos. Durante esse tempo, ele sempre ameaçava deixar Maria Aparecida. Mas, nas vezes em que a ameaça se concretizava, ele logo voltava para casa. Chegou a alugar um apartamento, mas desistiu da mudança antes de morar nele. Só dois anos depois daquele primeiro encontro acompanhado do amigo Eron é que Lélio se desquitou. E se mudou para a casa de Hebe no Sumaré.

Nem sempre a relação dos dois foi tão suave quanto Hebe anunciou naquela declaração de amor à *Sétimo Céu*. "Ele era um incorrigível e apaixonado boêmio", definiu Hebe uma vez. Na verdade, Lélio era homem de extremos. Bebia demais, fumava demais, jogava demais e, principalmente, amava demais. Cada uma dessas características teve suas consequências na vida a dois.

Do prazer da bebida, Hebe tornou-se companheira. Nas primeiras entrevistas de sua carreira, ela sempre dizia que não bebia. Às vezes afirmava que só bebia socialmente. Uma vez, pelo menos, disse que abria uma exceção para a batida de limão feita pelo pai. Mas, a partir da convivência com Lélio, passou a não esconder seu prazer por uma dose de vodca ou uma taça de champanhe. Com o homem que fumava até quatro maços de cigarros por dia, ela se tornou fumante passiva e herdou uma tossezinha chata, um pigarro que a acompanhou sempre. Para o jogador de pôquer, ela soube ser uma impecável anfitriã das noitadas que transformavam sua casa em salão de jogos e uma esposa compreensível quando ele perdia fortunas na roleta em cassinos pelo mundo. O problema era o homem que amava demais. Lélio logo se mostrou excessivamente ciumento.

"Estou aproveitando muito mais o amor, com a mesma eloquência dos 18 anos e a experiência dos 46. O sentimento não tem idade, e fico triste quando vejo mulheres depois dos quarenta pensarem que tudo na vida acabou", continua Hebe na confissão à *Sétimo Céu*. "É lindo o amor em qualquer época, e tenho essa chama dentro de mim que me impele a fazer coisas como andar na chuva de mãos dadas ou passar uma noite toda correndo bares e boates dançando."

Correr bares e boates dançando tornou-se rotina na vida do casal. A casa do Sumaré também passou a receber muito mais convidados. Alguns anos depois, uma coluna social tentou mostrar como era a rotina do casal Ravagnani. Segundas, quartas e sextas seriam reservadas para os convidados que recebiam para jantar. Sábados e domingos eram dedicados a receber para o almoço. Às terças e quintas, eles jantavam fora.

Talvez fosse exagero, mas tudo indica que a realidade não era muito diferente disso, como lembra Marcello, que, quando a mãe e Lélio passaram a viver juntos, tinha 10 anos de idade. "Nos primeiros tempos, eles saíam todas as noites. Todas mesmo", resume ele.

De acordo com o que disse à *Sétimo Céu*, Hebe não via problemas na relação do filho com o padrasto. "Marcello, meu filho, gosta muito dele, apesar de no princípio ter feito restrições a sua voz um pouco rouca. Tenho um diálogo aberto com meu filho.

Conto tudo o que se passa comigo, e, por isso, ele me respeita e compreende." Não era bem assim, como recorda Marcello: "No começo, a nossa relação era boa. Ele me tratava muito bem. Nunca pus empecilho algum ao relacionamento dos dois. Depois, não ficou muito boa por causa do excesso de bebida. Havia muita gritaria e discussão na nossa casa. Ele era extremamente ciumento. Voltava alterado das noitadas e brigava com a minha mãe por causa de ciúmes. Insinuava que ela tinha dado muita atenção a alguém ou reclamava que alguém tinha dado muita atenção a ela. Eram madrugadas de confusão. E ele ficava violento. Teve uma noite em que minha mãe se trancou no quarto, e ele derrubou a porta dando murro. Com 17 anos, depois de uma dessas brigas, eu tive uma crise e quis sair de casa. Não suportava mais vê-lo tratando mal a minha mãe. Mas ela ficou do lado dele. 'Ele é bom pra você', dizia. E, na verdade, dois dias depois de uma briga, eles já estavam vivendo o maior dos amores."

Seria injusto dizer que o casamento de Hebe e Lélio se resumia a noitadas regadas a álcool e brigas na madrugada. Lélio despertou em Hebe, por exemplo, o prazer por viagens. Aos 46 anos, financeiramente independente, dona de seu nariz, um dos maiores salários da televisão brasileira, Hebe tinha poucos carimbos no passaporte. Houve "a lua de mel" nos Estados Unidos com Luís Ramos e a excursão a Londres e Paris com Leonor. Durante o casamento com Décio, além da lua de mel em Nova York, houve uma viagem à Disney e outra a Bariloche, sempre com Marcello. E só.

Com Lélio, as idas a Paris e a Nova York se tornaram frequentes. Sempre com esticadas a Montecarlo e Las Vegas, onde

Lélio virava noites grudado numa roleta. E passaram a ser viagens ao estilo de Lélio: na primeira classe e com hospedagem em hotéis de muitas estrelas. Das poucas viagens anteriores, Hebe só guardou um costume: levar sempre na bagagem uma imagem de Nossa Senhora Aparecida e outra de Nossa Senhora de Fátima.

"Eles começaram a passar fora todo Natal e todo réveillon", conta Marcello. "Essas datas, para mim, não significavam festa em família. Desde que o Lélio entrou na nossa vida, eu fiquei sozinho em todas as comemorações de Natal e réveillon. Mas eu sempre respeitei. Nunca fiquei me queixando, fazendo birra. Ela estava feliz..."

"O romance foi muito apaixonante no começo, com muitas viagens", conta o jornalista Giba Um, que se dizia o melhor amigo de Lélio na época. "Eu mesmo, a convite dele, passei quatro réveillons seguidos com o casal no Maxim's de Nova York", acrescenta, referindo-se à cara e sofisticada filial do centenário restaurante francês que funcionou em Nova York entre 1985 e o ano 2000. "Eu só pagava a limusine para fazer o trajeto entre o hotel e o restaurante." Segundo Giba, os programas de Hebe e Lélio se resumiam a lojas e restaurantes. "O Lélio não gostava de ir a lugar nenhum. Não gostava de teatro. Eu e minha mulher íamos ver um musical todas as noites, e eles ficavam no bar do hotel fazendo hora para a gente jantar depois do espetáculo."

Enquanto viveram juntos, Hebe e Lélio mantiveram a tradição de tirar pelo menos 15 dias de férias por ano no exterior. Foram frequentes as viagens a Mônaco, onde sempre se hospedavam no hotel mais caro de lá, o Hôtel de Paris. "Já que temos só 15 dias por ano, temos que passar nos melhores lugares", justificou Hebe naquela entrevista à revista *Caras* feita vinte anos depois de eles se conhecerem. Foi durante uma das muitas estadas em Mônaco. Ele nunca fez economia quando se tratava de programar os passeios com Hebe. "Ele sempre gostou de ostentar", resume Giba Um. Houve um ano no qual, sem conseguir a reserva habitual, com todos os quartos já ocupados, Lélio aceitou ficar na única vaga disponível no Hôtel de Paris: a suíte presidencial. Não se importou de pagar dois mil dólares pela diária. "Foi sublime", disse depois. "Mas, na verdade, não precisávamos de tanto. Preferiria ter gastado em bons restaurantes e vinhos."

O casamento com Lélio talvez tenha refinado o gosto de Hebe. Mas não a levou a investir somente no que fosse mais caro ou procedente de marcas famosas. Consumista assumida, ela era atraída por grifes com a mesma força que por uma bugiganga de camelô. A apresentadora Marília Gabriela foi testemunha das compras de Hebe numa dessas viagens ao exterior. Foi na época em que Marília estava terminando o casamento com o ator Reynaldo Gianecchini. Hebe apareceu para desempenhar um de seus papéis preferidos: o de ombro amigo. E tinha a solução para interromper o sofrimento da amiga: uma viagem a Miami. Bem que Marília tentou se esquivar. "Eu não gosto de Miami", justificou. Hebe não desistiu: "Vou te fazer gostar." Marília não se dobrou e acreditou que tinha convencido Hebe de que não a acompanharia na viagem. No dia seguinte, recebeu em casa passagens de primeira classe para o percurso São Paulo-Miami-São Paulo. Não teve saída. Foi em Miami que ela descobriu essa peculiaridade de Hebe. A amiga entrou numa loja, pagou 15 mil dólares por uma bolsa Louis Vuitton e, em seguida, ainda no corredor do shopping, se encantou por um aviãozinho de plástico a pilha que girava a hélice, à venda num quiosque por 10

A jovem Hebe Camargo no início da carreira, 1952.
Folhapress

Hebe durante entrevista do programa da TV Paulista *O Mundo É das Mulheres*, com o entrevistado da noite, José Tavares de Miranda, em 1956.
Folhapress

A cantora francesa Edith Piaf (centro), com a cantora Marlene (de costas) e, ao lado, Hebe Camargo em São Paulo durante visita da cantora ao Brasil para se apresentar no Teatro Cultura Artística, em 1957.
Folhapress

Carlos Lacerda, então governador do Estado da Guanabara, tenta alguns acordes ao violão durante o programa *O Mundo É das Mulheres*, em 1964.
Acervo/Estadão Conteúdo

Hebe Camargo e Décio Capuano, às vésperas de seu casamento, em 1964.
Ruy Costa/Acervo UH/Folhapress

Cerimônia religiosa do casamento de Hebe e Décio, em 1964. Ao fundo, seu Fego Camargo, pai de Hebe.
Folhapress

Hebe Camargo com o filho Marcello, que completava um mês, em 1965.
José Nascimento/Acervo UH/Folhapress

Hebe com Marcello aos 6 anos de idade, 1971.
Folhapress

Marcello aos 33 anos, 1998.
Greg Salibian/Folhapress

Hebe (à esquerda) durante jantar com a cantora Elis Regina (no centro), 1966.
Folhapress

Hebe recebe de Silvio Santos, em 1988, o Troféu Imprensa, um dos muitos prêmios recebidos ao longo de sua carreira.
José Luís da Conceição/Folhapress

Hebe durante divertida entrevista com a amiga Dercy Gonçalves, 1990.
Silvio Ricardo Ribeiro/Estadão Conteúdo

Hebe ao lado do grande amigo Agnaldo Rayol durante festa de aniversário de Gugu Liberato na boate Gallery, em São Paulo, 1990.
Renata Jubran/Estadão Conteúdo

Hebe e a irmã Stela relembram os tempos do *Arraial da Curva Torta* quase cinquenta anos depois, 1993.
J. Tavares/Folhapress

Lélio Ravagnani e Hebe em almoço de Betty Szafir, no Banana Banana, em São Paulo, 1994.
Paulo Giandalia/Folhapress

Hebe entrega título ao então prefeito Paulo Maluf na Câmara dos Vereadores de São Paulo, 1994.
Fernando Santos/Folhapress

Hebe Camargo com o então candidato à presidência Fernando Henrique Cardoso, sua esposa Ruth Cardoso e o cantor Chitãozinho durante encontro do candidato com artistas em 1998.
Patrícia Santos/Folhapress

Hebe abraça o estilista Clodovil após o show de lançamento de seu CD *Pra Você*, no Palace.
Rogério Albuquerque/Folhapress

A memorável participação de Hebe Camargo, Lolita Rodrigues e Nair Bello no *Programa do Jô*, 2000.
Almeida Rocha/Folhapress

O padre Antônio Maria foi o convidado da apresentadora Hebe Camargo para o programa especial em homenagem a Nossa Senhora de Fátima, em 2000.
Francio de Holanda/Folhapress

A apresentadora no camarim do SBT após gravar o programa *Hebe*. Em 2009 Hebe comemorou seus 80 anos de idade.
Eduardo Knapp/Folhapress

A apresentadora dá uma "banana" para a corrupção durante gravação do programa *Hebe*, no SBT, 2009.
Eduardo Knapp/Folhapress

Hebe canta "Você não sabe" durante o especial *Elas Cantam Roberto Carlos*, 2009.
José Patrício/Estadão Conteúdo

Hebe com o sobrinho e empresário Claudio Pessutti e sua esposa, Helena Caio.
Arquivo pessoal

Da esquerda para direita: Marcello, Hebe e Claudio.
Arquivo pessoal

Ao lado de Ana Maria Braga e Xuxa Meneghel na primeira gravação do programa *Hebe* após o diagnóstico do câncer de Hebe, 2010.
Robson Ventura/Folhapress

Após receber a notícia do sucesso de seu tratamento para um câncer no peritônio, Hebe decidiu comemorar o Carnaval. Na foto, a apresentadora dá um selinho no ator inglês Jude Law no camarote da Brahma, no Rio de Janeiro, 2011.
Álvaro Riveiros/Folhapress

No dia seguinte, Hebe viajou para Salvador e subiu no trio elétrico do Bloco Papa com a cantora Claudia Leitte.
Moacyr Lopes Junior/Folhapress

Hebe faz gesto de coração após receber alta do Hospital Sírio Libanês em São Paulo, onde esteve internada para a realização de uma cirurgia, em 2012.
Rahel Patrasso/Frame/Folhapress

dólares. "Juro que a compra do aviãozinho trouxe para a Hebe o mesmo prazer que a compra da bolsa", relata Marília.

Os primeiros anos de casada com Lélio coincidiram com o período que Hebe passou fora da televisão. Depois que saiu da Tupi, nenhuma emissora a convidou para fazer parte de seu elenco. Sobrava tempo para Hebe viajar e virar a noite nas boates paulistanas. Porém, mesmo longe da TV, ela não ficou longe de seu público, que já se tornara fiel. Passou a comandar um programa diário matutino na Rádio Mulher. Voltava ao rádio, mas não como a cantora do começo da carreira na Rádio Difusora ou a cantora e apresentadora que fazia sucesso na Rádio Nacional de São Paulo. Hebe voltou ao ar com uma atração semelhante à que apresentava na Rádio Jovem Pan, no período do seu auge na TV Record. Naquela época, final da década de 1960, as grandes estrelas do elenco da Record passaram a ter também programas de rádio. Roberto Carlos tinha o seu. Elis Regina ganhou um horário. Cidinha Campos fazia sucesso com um programa de fofocas. Erasmo Carlos e Wanderléa dividiam um horário. Hebe também teve seu espaço. Nele, tocava discos dos cantores que gostava e comentava um ou outro assunto do dia.

Na Rádio Mulher, Hebe começou a desenvolver um estilo que a faria brilhar alguns anos depois. Ela não tinha mais um roteiro predeterminado ou uma ficha com as perguntas que deveria fazer ao entrevistado de seus programas na TV. O microfone estava aberto para ela dizer o que quisesse. Hebe tinha de improvisar e, mais do que isso, tinha de ter opinião. Durante um tempo, ela manteve uma coluna no jornal *Última Hora*. Era o "Recado de Hebe" e não passava da transcrição das opiniões que a artista emitia no rádio. Lendo hoje essas colunas, percebe-se que, na maioria das vezes, ela não se comprometia muito. Quase sempre comentava programas de televisão, reclamando da pauta do *Fantástico* ou chamando a atenção para um personagem que tinha desaparecido da novela. Longe da TV, Hebe foi se transformando numa telespectadora quase viciada. Às vezes dedicava o programa, e consequentemente a coluna, a um artista que admirava, como Plínio Marcos. Mas as cartas que Hebe recebia a fizeram conhecer melhor o cotidiano de seu público, e vez ou outra ela fazia comentários críticos sobre a carestia ou a violência.

O programa no rádio sempre foi um sucesso, mas a coluna no jornal acabou mal. Uma mudança na direção da publicação cassou repentinamente o espaço de Hebe. Ela foi colunista por quase um ano, nunca recebeu salário por isso e foi dispensada sem nenhum aviso. Ficou furiosa. Redigiu uma carta ao novo editor, o jornalista Roberto Hirao, acusou-o de desrespeitá-la, lembrou-lhe que lhe fora prometido um salário que nunca chegou a ser estabelecido, reclamou de nunca ter recebido um agradecimento pelo uso de seu nome e acrescentou que esse "nome tem recebido o respeito e a admiração do grande público". Hirao respondeu com um pedido de desculpas e a informação de que a profissional que tinha ficado responsável por informar Hebe sobre o fim de sua coluna tinha sido demitida. Hebe guardou as duas cartas pelo resto da vida.

Para quem considerasse inofensivas as mudanças que Lélio trouxe para a vida de Hebe, era só acrescentar outro ingrediente que pautava a vida do casal: aventura. Como a que a dupla viveu em 1981. Com Lélio, Hebe passou a se dedicar periodicamente à pesca no Pantanal matogrossense. No dia 3 de setembro, uma quinta-feira, eles saíram para mais um fim de semana prolongado dedicado a esse hobby. Viajaram em avião de carreira até Cuiabá e, de lá, embarcaram num bimotor comandando um grupo alegre. Com eles iam o filho de Lélio, Lelinho, sua mulher, Leda, e o casal de amigos Renata Scarpa e Luciano Julião; o piloto, Gilberto Lira, era tratado por eles como comandante Beto. Um segundo avião do mesmo tipo foi necessário para levar a bagagem da turma. Pescaram no rio São Lourenço, hospedaram-se na Fazenda Santa Rosa e, na terça-feira seguinte, às 10h30, embarcaram de volta. Mais uma vez em dois bimotores, um para Hebe e o restante do grupo, o outro para a bagagem.

O avião com passageiros não demorou muito tempo no ar. Uma pane no motor esquerdo desestabilizou o voo. O comandante Beto tentou pousar no campo da fazenda mais próxima, do empresário Sebastião Camargo, empreiteiro que amealhou riqueza em obras grandiosas do país, como a de estradas que levavam a Brasília e a da ponte Rio-Niterói. De acordo com o relato da própria Hebe, o pouso de emergência foi malsucedido por causa de uma vaca que apareceu no caminho. O avião acabou aterrissando, ou caindo, em meio à vegetação cerrada da região. A sorte é que o rádio do aparelho continuou funcionando e entrou em contato com o avião que transportava as malas do grupo. Este mandou água para a turma e recomendou que todos se dirigissem para um aterro localizado a mais ou menos dez quilômetros. Ali poderia chegar uma condução. Eles foram, mas, ainda segundo Hebe, só caminharam dois quilômetros. Voltaram apavorados para o lugar da queda porque uma cobra — uma sucuri, ainda de acordo com o relato de Hebe — se enroscou na perna de Lelinho.

Ali onde estavam não havia condições de chegar socorro. E o calor beirava os quarenta graus. Atendendo a mensagens do avião das bagagens, a fazenda de Sebastião Camargo mandou três cavalos para resgatar o grupo. Aí sim foi feito o percurso até o aterro. As mulheres montadas, os homens a pé. Não se tem notícia da aparição de outras cobras no caminho. O percurso demorou mais ou menos uma hora. No aterro, sempre sob o patrocínio de Sebastião Camargo, dois caminhões esperavam o grupo para levá-lo até a cidade de Poconé. Hoje, Poconé tem cerca de trinta mil habitantes. Em 1981, era pouco mais do que um vilarejo. Mas foi lá que Hebe tomou banho, descansou e, às 17h30, enfim, entrou em contato com o filho em São Paulo. Marcello, que esperava a mãe para almoçar, estava nervoso, desconfiava de que alguma coisa tivesse acontecido, mas não tinha o que fazer até receber notícias. Hoje ele se lembra do bom humor de Hebe no telefonema.

"O que aconteceu?", quis saber ele.

"O nosso avião caiu", respondeu ela, às gargalhadas.

Hebe mantinha as gargalhadas sempre que contava a aventura para alguém. E se deliciava especialmente no momento em que narrava a reação de Lélio. O avião já tinha caído, o piloto tentava controlá-lo, e a vegetação do Pantanal entrava pela cabine. Lélio, que já tinha bebido um pouco e dormira assim que o bimotor levantara voo, despertou estranhando tudo: "Hebinha, esse avião está voando baixo demais."

Longe da TV, sem convite de nenhuma emissora, Hebe foi deixando de aparecer nas colunas de televisão, mas se tornou figura cada vez mais presente nas colunas sociais. O casamento com Lélio trouxe um novo grupo de amigos, todos da alta sociedade paulista. Lélio gostava de exibir a mulher, orgulhava-se de seu sucesso, não se importava de ela ser o centro das atenções em qualquer salão. "Todo mundo tinha interesse em ficar ao lado dela", conta Lolita Rodrigues. "Era a certeza de que apareceriam nas fotos publicadas em jornais e revistas."

Lélio não ficava constrangido de ser chamado de "Sr. Hebe Camargo", como declarou na entrevista à *Contigo*, que recebeu justamente o título de "A barra de ser o Sr. Hebe Camargo": "Ué, eu me constrangeria se fosse chamado assim e não fosse marido dela. Mas eu sou! Então não há constrangimento. Há, isso, sim, muito orgulho. Às vezes, quando, além de pedirem autógrafos da Hebe, pedem o meu também, sinto vontade de assinar 'Lélio Camargo', pois, caso contrário, as pessoas se decepcionarão."

Ele só não gostava que fosse insinuado que vivia às custas da mulher. As viagens ao exterior sempre ficaram por sua conta. E, desde que foi morar na casa do Sumaré, tratou de construir outra residência para o casal viver. Comprou um terreno de três mil metros quadrados no Morumbi, onde ergueu uma mansão que sempre foi definida pela imprensa como "cinematográfica" ou "hollywoodiana". Projeto do arquiteto italiano Ugo di Pace, queridinho da sociedade paulistana na época, tinha seis quartos, cinco banheiros, sauna e piscina de água quente. Havia ainda um estúdio de gravação para Hebe e uma sala de jogos para Lélio. Foi inaugurada em 1979. "Naquela época, o Morumbi ficava no fim do mundo. Minha mãe chorava todo dia de saudades da casa do Sumaré", conta Marcello. Lélio não via esse sofrimento da Hebe. "Ela curte mais a casa do que eu", disse em entrevista à *Contigo*. "De vez em quando, se ajoelha na beira da piscina, levanta os braços e começa a declamar: 'Deus, eu não mereço tudo isso.' Aí, eu rio e peço para ela parar com essa comédia italiana."

Uma festa black tie para trezentas pessoas marcou a inauguração da nova casa. Foi só a primeira. A partir daí, Hebe e Lélio tornaram-se anfitriões de algumas das mais concorridas recepções de São Paulo. Todos os anos, no dia 8 de março, ou num sábado próximo à data, havia uma festa para comemorar o aniversário de Hebe. Mas o casal sempre arranjava um ou outro motivo para receber, oferecendo jantares para ministros de Estado, o que aproximava Lélio de figuras do governo, ou para empresários cujo contato lhe interessava. As colunas sociais registravam tudo com avidez, como o jantar oferecido ao investidor Naji Nahas, em março de 1982 (sete anos depois, Nahas seria considerado responsável pela quebra da Bolsa de Valores no Rio de Janeiro), que coincidiu com os aniversários de Hebe e da mulher do empresário, Sula, destaque da coluna de Tavares de Miranda na *Folha de S.Paulo*: "Hebe Camargo (com sensacional conjunto de brilhantes e safiras e portando longo preto no estilo de 'Gilda') e Lélio Ravagnani, em sua hollywoodiana casa do Morumbi, foram os anfitriões para jantar de gravata preta, homenageando Sula (com colar de diamantes e esmeralda fora de série) e Naji Nahas. Sula e Hebe eram na noite cumprimentadas pelo natalício."

As festas seguiam uma rotina constante. O traje era a rigor. Lélio aproveitava para usar seu summer, Hebe para mostrar suas joias, o que foi transformando sua coleção numa lenda. Os convidados ficavam em volta da piscina, onde garçons vestidos com roupas típicas moscovitas serviam caviar malossol — aquele que é conservado em pequenas quantidades de sal, em vez de pasteurizado ou prensado — e vodca polonesa, que Lélio trazia de suas viagens a trabalho. Alguns bares espalhados pela casa serviam também uísque escocês e champanhe Taittinger. O jantar era servido num bufê sob um toldo, também à beira da piscina, e, na madrugada, os que resistiam ganhavam uma macarronada como saideira.

No começo, as recepções tinham como convidados uma mistura de celebridades do chamado high society paulista, políticos, empresários ligados a Lélio e o pessoal da televisão, amigos de Hebe. Era mais ou menos meio a meio. Lolita Rodrigues e Nair Bello estavam sempre na lista para formar o trio de amigas fiéis que viviam juntas desde os tempos de rádio. O apresentador Flávio Cavalcanti, quando passava temporadas em São Paulo, era outro nome presente. E Agnaldo Rayol, que participava de qualquer espetáculo comandado por Hebe, também era atração dos jantares. Mas, com o tempo, a proporção passou a pender para o lado de Lélio. Ou melhor, os amigos de Lélio tornaram-se os amigos de Hebe. Lolita Rodrigues, por exemplo, parou de aparecer. "Dizem que a Hebe se afastou de mim", reflete ela. "Não é verdade. Eu é que me afastei dela. Não tinha interesse naquelas festas. Não tinha o que conversar com as novas amizades da Hebe. Mas sempre estivemos juntas quando uma precisava da outra."

Foi nessas festas que Hebe passou a usar o brinde que ainda é lembrado por todos os seus amigos. A certa altura, ela os juntava à beira da piscina, esperava que todos tivessem suas taças de champanhe cheias, pedia a palavra e falava alto:

Há os que querem, mas não podem.
Há os que podem, mas não querem.

Nós queremos e podemos.
À vida.

Muitos desses amigos acreditam que a exortação foi criada pela própria Hebe. Na verdade, é uma adaptação de um daqueles cantos de guerra que estimulam soldados a marchar. Hebe transformou um canto de treinamento físico militar numa ode à doce vida.

CAPÍTULO 9

"SE TOCAREM UMA MÚSICA DE QUE EU GOSTE..."

O fim do contrato com a Tupi não significou o afastamento de Hebe do trabalho. Durante o mais longo período que passou longe da TV, de 1975 a 1979, ela nunca deixou de se apresentar no rádio. No tempo em que manteve mais ativa sua vida social, quando ao lado de Lélio era figurinha carimbada em colunas sociais, sempre dedicou as manhãs ao trabalho. E Hebe não sabia, mas a volta à TV estava próxima. Quando voltasse, ela iria se envolver numa das brigas mais famosas da história da televisão. De um lado, Hebe; do outro, também um mito da telinha, Walter Clark.

A dedicação exclusiva ao rádio não queria dizer que Hebe estivesse desinteressada da TV. A verdade é que não havia mais emissoras que pudessem interessar a Hebe. Onde mais ela podia trabalhar? Certamente não na Tupi. A Tupi tinha sido justamente seu último trabalho e não trazia lembranças felizes. Um ano depois de estar fora do ar, ela ainda reclamava do programa que fez lá.

"Foi uma experiência péssima. Não era a Hebe quem estava lá", disse em entrevista à edição paulista do jornal *Última Hora*, em fevereiro de 1976. "Estou muito desapontada com a nossa televisão. Não sou mulher de lata. Sou de carne e osso. É um absurdo, não é? Só dá enlatado na TV. Ela está ficando cada vez mais fria, sem calor humano. Só volto a fazer televisão se no programa tiver auditório. Não quero saber de risadas e aplausos enlatados. É o fim!"

Além disso, a Tupi já estava em decadência. A emissora pioneira seria extinta em 1980. A TV Paulista, onde Hebe vivera o começo de sua carreira como apresentadora, foi vendida para a TV Globo. E a Globo... bem, na época, o que era chamado de Padrão Globo de Qualidade, para Hebe, era uma maneira de se engessar o artista. Ela via a produção de qualidade como um inimigo que poderia descaracterizar sua personalidade. Alguns anos depois desse período de afastamento, Hebe deu uma polêmica entrevista à revista *Interview*. Foi polêmica porque ela não se negou a contar o que pensava sobre personalidades intocáveis do país. "O Silvio Santos, quando janta fora, é por que sua mesa está na varanda", disse, resumindo os hábitos avaros de seu futuro patrão. "Dona Dulce não pode divertir-se em boates ou clubes noturnos até às quatro da manhã", criticou, referindo-se ao estilo festeiro de Dulce Figueiredo, na ocasião, primeira-dama do país, mulher do general João Figueiredo, presidente da República entre 1979 e 1985. Disse, enfim, o que pensava da Rede Globo. "Não tenho o padrão global", resumiu. "A Globo não admitiria, jamais, que eu tivesse um programa alegre e feliz, com meu nome", acrescentou, expondo, na verdade, uma certa frustração por nunca ter sido contratada pela rede que já era líder de audiência no país.

A TV Record, onde Hebe tinha estado por oito anos e vivido os momentos mais bem-sucedidos de sua carreira, também já vivia uma crise financeira. Na década seguinte, seria vendida ao bispo Edir Macedo, da Igreja Universal do Reino de Deus.

A falta de opções parecia não afetar Hebe. "Antes, quando tirava férias, ficava desesperada para voltar", relatou na entrevista ao *Última Hora*. "A experiência na Tupi fez com que eu mudasse muito em relação ao meu trabalho. Jamais poderia imaginar que eu conseguiria ficar dois meses fora da televisão. Hoje, depois de um ano de ausência, não tenho nenhuma vontade de voltar."

A TV Excelsior não existia mais. O SBT e a Rede Manchete ainda não tinham sido inaugurados. O período de ausência de Hebe coincidiu com a época em que as emissoras que foram gigantes nos anos 1950 e 1960 estavam se tornando nanicas, e as que seriam gigantes nos anos 1980 e 1990 ainda não tinham entrado no ar.

"É tudo uma questão de fase", analisou, na mesma entrevista. "Houve o ciclo da Excelsior, em seguida o da Record. Hoje é a vez da Globo. O negócio é esperar com calma para saber qual será a próxima estação a subir. Parece uma roleta em que a gente gira e espera que saia o próximo número." Hebe aparentava não sentir falta da TV. Acompanhar o crescimento de Marcello, enfrentar as maratonas noturnas nas boates paulistanas ao lado de Lélio e trabalhar só das nove às 11 horas da manhã na Rádio Mulher lhe bastavam. "Estou com a vida que pedi a Deus", confessou. "Peço perdão àqueles que não gostam de saber que a gente está bem."

Mas era só fingimento. Bem que Hebe queria voltar. "Se tocarem uma música de que eu goste, saio dançando", disse ela ao repórter Ézio Ribeiro, da revista *Ilusão*, em reportagem sobre essa fase de afastamento. Em outro trecho, ela admitia o que realmente se passava. "Sinto falta do calor de um auditório. Me lembro muito das pessoas, de seus maneirismos, das roupas que vestiam. Algumas vezes, fecho os olhos e volto um pouco ao passado. Relembro com carinho aquela correria toda antes de o show ir ao ar. Toda aquela euforia que envolvia os meus programas... mas acabou, né?"

Hebe se enganou. Não tinha acabado. Ainda sobrava a TV Bandeirantes, mas a emissora não tinha cacife para propor um salário de acordo com o prestígio e o sucesso da apresentadora. Foi aí que entrou uma jogada de marketing que fez Hebe acreditar que o próximo número a sair na roleta seria o 13, canal da Bandeirantes em São Paulo. Os irmãos publicitários Rose e Wanderley Saldiva, donos da agência Saldiva & Associados, acreditavam na Hebe como produto. E sabiam que o melhor veículo para vendê-la era a televisão. Para isso, elaboraram um plano que remetia aos primórdios da TV brasileira, quando as agências de propaganda eram produtoras da programação. Autores de novelas, cantores, atores, apresentadores eram contratados de agências, que produziam programas para seus clientes, os anunciantes. A própria Hebe já havia trabalhado nesses moldes. Na sua temporada carioca, ela não era contratada de nenhuma estação de TV (por isso teve programas em todas), mas era artista exclusiva da Norton, agência de publicidade. A Norton comprava os horários e arranjava os patrocinadores. E isso seria feito outra vez. Hebe percebeu que, na vida que pediu a Deus, cabia também um novo programa semanal na televisão. A Saldiva assinou um contrato com Hebe, outro com um patrocinador, e o pacote completo foi oferecido à Bandeirantes.

"SE TOCAREM UMA MÚSICA DE QUE EU GOSTE..."

A Bandeirantes topou. Hebe ganhou de volta o horário nobre dos domingos, como nos primeiros tempos da Record. No dia 9 de dezembro de 1979, sob o patrocínio da fábrica de prataria Meridional, ela estava de volta à televisão disposta a ser de novo rainha, título que ninguém ousou lhe roubar nos quatro anos de ausência.

Para ser o produtor executivo do programa, a Bandeirantes escalou o calejado Walter Silva. Com vasta experiência como radialista, Walter Silva entrou para a história da música popular brasileira como produtor do *Dois na bossa*, célebre disco que lançou a dupla Elis Regina e Jair Rodrigues e que, pela primeira vez na história da produção fonográfica brasileira, vendeu mais de um milhão de cópias. Mas o item de seu currículo que o credenciava para dirigir o novo programa era algum tempo passado na direção do *Fantástico*, a revista eletrônica da Rede Globo que, já há seis anos, era líder absoluta de audiência nas noites de domingo. O *Fantástico* era o inimigo a combater no retorno de Hebe.

Para o combate, a proposta era usar armas já conhecidas. Nada de invenções, como pode ser constatado na entrevista que Walter Silva deu ao boletim de divulgação da Bandeirantes na semana que antecedeu a estreia da atração. "A gente vai fazer um programa o mais autêntico possível", disse ele. "Para se ter uma ideia, a nossa preocupação é que o programa seja feito sem edição, sem ter aquela de 'volta o teipe'." O show seria gravado ao vivo nas noites de sexta-feira e exibido sem edição, como anunciou Walter Silva, duas noites depois. "No fundo, a gente pretende fazer um programa sem sofisticação, sem enfeites e sem pretensão... e, sim, um programa nu. O programa da Hebe é a Hebe do jeito que ela é, da maneira como ela sempre foi e do jeito que ela quer ser."

O que Walter Silva estava dizendo é que quem tinha Hebe não precisava de sofisticação, enfeites ou pretensão. Bastava a Hebe. Em outras palavras: um sofá, um bom time de convidados e a verve irresistível da apresentadora — era essa a fórmula do sucesso, já testada na Record mais de dez anos antes. A previsão era que cada programa tivesse oito entrevistados e números variados, de desfiles de moda até a apresentação de um cantor de música brasileira em destaque. E, sempre que possível, Agnaldo Rayol.

O boletim continuava definindo o que o público poderia esperar das novas noites de domingo: "Hebe é impossível de se controlar, ela não se enquadra dentro de esquemas, de marcações, por isso mesmo o programa da Hebe vai ser descontraído, humano, livre, divertido e intrigante, polêmico e simples."

A própria Hebe não tinha muito o que dizer sobre o que seria a nova atração. Preferiu falar sobre a alegria de estar de volta ao ar, o que ela interpretava como um compromisso com o público. "Eu me sinto envaidecida", disse. "Mas não é uma vaidade negativa. É uma vaidade que me comove porque meu público, aquele que tem me acompanhado durante tantos anos de televisão, não se esquece de mim, muito pelo contrário, eu sempre recebo cartas de elogio, cartas pedindo o meu retorno. Acho engraçado que mesmo os mais jovens, aqueles que não acompanharam a minha carreira, hoje insistem na minha volta."

Na estreia, havia algumas entrevistas gravadas previamente fora do auditório. Num estúdio, Hebe recebeu a atriz francesa Maria Schneider, ainda famosa por ter protagonizado, ao lado de Marlon Brando, sete anos antes, algumas das cenas mais picantes do cinema em *O último tango em Paris*. Aproveitando a participação do presidente Figueiredo numa cerimônia no Palácio dos Bandeirantes, em São Paulo, ela também o entrevistou. E, no palco, do jeito que Hebe gostava, sentaram-se no seu sofá o então governador de São Paulo, Paulo Maluf, e o cantor romântico Antônio Marcos. Após o programa, a apresentadora comemorou sua volta à TV com uma festa. No Gallery, é claro. Estavam lá as amigas de sempre, Nair Bello e Lolita Rodrigues, o colunista social Gilberto Di Pierro (o Giba Um), o cantor Sidney Magal, as atrizes Maria Isabel de Lizandra e Irene Ravache. Estava também Helena Silveira, na época crítica de televisão da *Folha de S.Paulo* e muito amiga da apresentadora. Foi ela quem, dois dias depois, publicou uma crônica no jornal na qual descrevia a noite, registrando que Hebe "faiscava com suas joias e fazia-se linda num pretinho, envolvendo o colo com duas raposas brancas. Toda a imprensa de São Paulo marcou presença para mostrar o quanto sempre fora seduzida pela apresentadora".

Hebe na Bandeirantes não foi um estouro de audiência. Mas ela trouxe à emissora o que sempre esteve agregado a seu programa: prestígio. Grandes atores, cantores populares, políticos importantes... todo mundo sempre quis ser entrevistado pela Hebe. E isso voltou a acontecer.

Ainda nos primeiros meses no ar, houve pelo menos uma edição marcante. Na noite de 20 de abril de 1980, o sofá de Hebe estava animado. Passou por lá o ator Antônio Fagundes, descrevendo o projeto no qual ele e o diretor Antônio Abujamra ocupariam o mítico Teatro Brasileiro de Comédia. Foram entrevistados também Lima Duarte e Neville d'Almeida, ator e diretor do filme *Os sete gatinhos*, baseado na peça de Nelson Rodrigues. Miúcha cantou ao lado da filha, Bebel Gilberto, que então tinha 14 anos. Estiveram lá ainda a psicóloga Carmen Barroso, a sexóloga Marta Suplicy e a pintora Anésia Pacheco e Chaves, divulgando o Fórum de Debates que, a cada 15 dias, se realizava em São Paulo no Galpão Ruth Escobar. Mas a entrevista que tornou o programa inesquecível foi a de Flávia Schilling.

Flávia viveu uma história que marcou a década de 1970. Ela era filha de um assessor de Leonel Brizola que se asilou no Uruguai com o político gaúcho quando o golpe de 1964 tirou João Goulart do poder. No Uruguai, ainda adolescente, fez parte do Movimento de Libertação Nacional, ligado ao grupo guerrilheiro Tupamaros, a principal dor de cabeça da ditadura local. Tinha 19 anos quando foi baleada e presa em Montevidéu. Com a criação dos comitês de anistia no Brasil, começou também uma luta pela libertação de Flávia. A Lei de Anistia foi aprovada em agosto de 1979. Uma enxurrada de exilados políticos voltou ao país, mas Flávia continuou presa. O governo uruguaio negava-se a soltá-la. A pressão do povo brasileiro — "Liberdade para Flávia Schilling" substituiu a palavra de ordem "Anistia já" — foi tão grande que o Uruguai acabou expulsando todos os presos políticos estrangeiros que estavam no país. Flávia podia voltar ao Brasil no dia 14 de abril de 1980. A abertura política aqui já emitia seus primeiros sinais, mas só teve seu processo inteiramente completado em 1988, quando foi promulgada a nova Constituição. Flávia foi solta nesse meio-tempo. A imprensa cobriu com destaque sua libertação. E foi no *Hebe* que ela apareceu pela primeira vez num programa de televisão.

"SE TOCAREM UMA MÚSICA DE QUE EU GOSTE..."

Ao lado da mãe, da irmã e de seus advogados, Flávia, seis dias depois de sair da cadeia, sentou-se no sofá mais famoso do Brasil. Numa conversa como as que só Hebe sabia conduzir, a moça de 26 anos lamentou ter sido roubado pela prisão o tempo que tinha para ver realizado seu sonho de ser médica. Foi uma comoção nacional.

Hoje professora da Faculdade de Educação da Universidade de São Paulo, Flávia tenta se lembrar da ocasião: "A situação em 1980 era muito tensa e difícil. É incrível como se fala pouco do clima de insegurança naqueles anos, apesar de a resistência ter sido linda. Havia um movimento de liberdade em todos os sentidos. Não sei dizer exatamente como fui parar no programa da Hebe. Creio que vários argumentos apareceram. Um deles seria a grande audiência do programa, por isso mesmo seria um bom lugar para eu fazer uma espécie de agradecimento público a todas as pessoas que assinaram os abaixo-assinados pedindo minha liberdade. Creio que esse foi o fator decisivo. Foi uma situação peculiar, pois eu acabara de chegar e estava tentando entender e absorver tudo. Lembro-me de que foi tudo bem rápido. Não me lembro de ter sentido tensão nos bastidores. As pessoas foram bem gentis."

Na entrevista à *Playboy*, aquela de fevereiro de 1987, Hebe definiu a participação de Flávia Schilling em seu programa como a mais "perigosa" de sua carreira.

"Foi fogo", resumiu. "Ninguém sabia o que poderia acontecer porque em 1980 as coisas ainda estavam bastante confusas e a palavra 'abertura' para alguns ainda era um palavrão. Assim mesmo, eu entrevistei a Flávia, uma graça de menina, e aos que sempre me rotularam de direita acrescentaram-se aqueles que passaram a me considerar de esquerda. É difícil ser Hebe, e apenas Hebe."

Outra noite de destaque foi aquela em que Hebe recebeu o comediante Mazzaropi, o velho companheiro das excursões da Brigada da Alegria. A reunião da dupla no teatro da Bandeirantes foi especialmente emocionante. Parte da cena foi preservada e pode ser vista hoje no YouTube.

Ele entra no palco, os dois se abraçam. Hebe reage: "Há quanto tempo nós não damos esse abraço?"

"Há uns dez anos", responde Mazzaropi.

A partir daí, ele faz uma série de piadas de duplo sentido, Hebe não controla o riso, o público se desmancha. Mazzaropi conta uma intimidade daqueles dias de excursão.

"Essa mulher já me deixou dormindo de botina. Ela disse que ia ali, pediu pra eu esperar e demorou tanto que eu dormi. De botina. Tô esperando até hoje. Foi a única mulher que me fez dormir de botina."

O público não para de rir da história meio sem sentido. Hebe dá de presente para ele um par de botinas novas. Os dois dançam uma valsa. Ele aproveita a valsa para fazer mais uma série de piadas de duplo sentido. O público delira. Foi a última aparição de Mazzaropi na TV. Ele morreu menos de um ano depois.

No começo de 1981, o programa ia bem, sem sobressaltos, com audiência razoável — média de 8% no Ibope, boa para os padrões da Bandeirantes —, quando uma notícia, a princípio saudada com alegria por Hebe, transformou-se num furacão no

"SE TOCAREM UMA MÚSICA DE QUE EU GOSTE..."

esquema armado pela Saldiva, pela Meridional e pela apresentadora. Walter Clark foi contratado pela emissora para ser seu novo diretor de programação.

Clark era considerado o menino-prodígio da televisão brasileira. Em 1965, aos 29 anos, tornou-se diretor-executivo da TV Globo, onde criou a programação sanduíche: o telejornal espremido entre duas novelas, que garantiu à emissora a liderança de audiência no horário nobre. Clark saiu da Globo em 1977, mas o esquema que criou é mantido até hoje. Depois de passar algum tempo trabalhando na produção de cinema, foi para a Bandeirantes com uma cláusula contratual que lhe dava o poder de mexer na programação sem interferência dos proprietários da emissora. Quando Clark chegou, Hebe, depois de um ano no ar, estava saindo de férias. Os dois não se encontraram. Ela deixou três programas gravados para serem exibidos enquanto estava na Europa com Lélio.

A ideia era lançar a nova programação criada por Clark só no segundo semestre de 1981. Mas bem antes disso o novo diretor iniciou suas mudanças. Demitiu o diretor de novelas Walter Avancini, inconformado com o fato de ele querer gastar dez mil dólares para trazer da Itália Christian De Sica, filho do famoso ator e diretor Vittorio De Sica, para fazer um teste para a novela *Os Imigrantes*. Tirou do ar o programa de Moacyr Franco. Organizou a transmissão ao vivo do primeiro show da banda Queen no Brasil, realizado no estádio do Morumbi. Uma das principais atrações da emissora era Chacrinha, que tinha saído da Globo e mantinha dois programas simultâneos no ar. Nas noites de terça-feira, era exibida a *Discoteca do Chacrinha*; nas tardes de sábado, a *Buzina do Chacrinha*. Clark achava que a maratona desgastava o comunicador. Por que não juntar os dois programas num só? Por que não fazê-lo na noite de domingo? Pronto. O programa da Hebe estava fora do ar.

Quando a apresentadora voltou da Europa, apenas um dos três programas que gravara tinha sido exibido. Os outros dois foram simplesmente jogados no lixo. Clark considerava Hebe um fenômeno regional. Ela fazia sucesso em São Paulo, mas ele queria transformar a Bandeirantes numa rede de televisão de verdade, com uma programação que funcionasse em todo o país. A ideia dele era transferir Hebe para o horário das manhãs, apresentando um programa nos moldes do *TV mulher*, que fazia sucesso na Globo com Marília Gabriela. Hebe nem quis ouvir a proposta. "Ninguém da direção entrou em contato comigo, desde que cheguei de viagem, para me dar qualquer explicação sobre o que fizeram com o meu programa", queixou-se ela.

Clark sempre tentou se explicar: "O programa da Hebe aos domingos atendia aos interesses do patrocinador, não aos da emissora." Hebe ignorou a justificativa. "Ele já sabia que iria fazer alterações na programação. Poderia ter avisado se tinha alguma coisa contra mim ou se o patrocínio não estava à altura de sua genialidade. O que ele fez foi uma molecagem. Acho que ele está meio perdido."

Um ano depois, Walter Clark, sem conquistar os resultados de audiência e de faturamento esperados, foi demitido. E o que aconteceu? A Bandeirantes esperou quase dois anos e... chamou Hebe de volta. Desta vez sem intermediários. Sem agências de propaganda, sem patrocinadores antecipados. Ela perderia

"SE TOCAREM UMA MÚSICA DE QUE EU GOSTE..."

também as noites de domingo. Voltaria a ser a estrela da casa, mas às sextas-feiras.

A apresentadora tinha saído da estação sem planos de se transferir para um novo canal, embora tivesse recebido um convite da Globo. Ela contava que a emissora líder de audiência tinha planejado um programa para ela, escrito para ela, que seria dirigido por Nilton Travesso, o amigo que produzia a atração famosa que comandara na Record. Seria gravado à noite, com auditório, mas levado ao ar aos sábados, antes do Chacrinha, que também saíra da Bandeirantes e estava de volta, mais uma vez, à Globo. Ela não gostou do horário de exibição. Preferiu continuar voltada apenas para o rádio. Trocou a Rádio Mulher pela Rádio Capital. E só. Até aparecer o novo convite da Bandeirantes, que Hebe aceitou.

A segunda temporada de Hebe na Bandeirantes foi mais longa. Durou do fim de 1982 ao começo de 1986. O programa não era muito diferente do anterior. Como preconizava Walter Silva, três anos antes, era "um programa nu". Algumas poltronas foram acrescentadas ao cenário para compor, ao lado do sofá, a sala de visitas onde Hebe sempre brilhou. O novo diretor (Eduardo Sidney, vindo do *Chico Total*, programa de Chico Anysio na Globo) não mexeu na fórmula que sempre dera certo: entrevistas, números musicais, desfiles de moda e, de vez em quando, Agnaldo Rayol.

A crítica desconfiou desse novo retorno. Pelo visto, Hebe continuava a mesma. Mas será que a televisão estava precisando da Hebe de antigamente? Voltaram a aparecer nos jornais as acusações de que a apresentadora era alienada, excessivamente otimista, superficial, que ria demais e achava tudo uma gracinha. Hebe desabafou numa entrevista à *Folha de S.Paulo*: "Tenho o direito de rir e de ser otimista. Trabalhei a vida inteira, desde os 14 anos. E tudo que tenho foi à custa de muita luta. Não pedi nada a governo nenhum, não devo nada a ninguém. Ao contrário, eles é que me devem muito — inclusive por causa dos impostos altíssimos que eu pago. Não sou alienada. O otimismo não tem nada a ver com omissão. E, afinal, eu não tenho culpa de ser bem-sucedida. Por que cobram tanto da gente o fato de ser bem-sucedida?"

Na verdade, os ataques não eram unânimes. O estilo de Hebe também tinha seus defensores, como o crítico de TV Artur da Távola, um dos mais importantes do país na época, que, na mesma ocasião, dedicou a ela uma crônica no jornal *O Globo*: "Hebe pode ser madrinha, pode ser sofrida, pode ser entrevistadora, pode ser politizada, fala de seus problemas pessoais, canta, pensa, opina, é fada e é cobradora dos direitos, tudo ao mesmo tempo e fundido numa personagem de extrema definição e simplicidade. Seu gosto é eclético, percorrendo a escala que vai do simplório à arte de maior elaboração com naturalidade e interesse. Sofre na carne e transmite — direta ou indiretamente — as crises comuns ao ser humano: o desamor, o tédio, a idade. Ao mesmo tempo, não para de sonhar. Por isso, Hebe é o fenômeno de comunicação que atravessa tantos anos de televisão no Brasil."

A audiência também reagia bem à Hebe de sempre. A Bandeirantes, que costumava dar três pontos no horário, passou a festejar 13 pontos com a sua chegada. Houve noites em que o programa atingiu 19 pontos no Ibope. Muita gente interpretou que, em relação à encrenca com Walter Clark, Hebe estava vingada.

"Não sou de vingança, e não há o que vingar", declarou na época. "A saída de Walter Clark da Bandeirantes foi a prova de que ele não estava certo ao me afastar. Não tenho qualquer raiva dele. Pode até vir a ser um dos futuros convidados do meu programa. Desde, é claro, que mostre capacidade para fazer alguma coisa, já que, na televisão, ele não deu certo."

CAPÍTULO 10

"EU ESTAVA FICANDO AMÉLIA DEMAIS"

Aqueles que esperavam a mesma Hebe nessa nova temporada na Bandeirantes tiveram uma surpresa. O programa manteve o formato do sofá e dos convidados, mas investiu mais em debates ao vivo. Hebe já mediava debates nos tempos da Record, mas agora não escondia que a ideia era ser ousada nos temas escolhidos. Ela se orgulhava dos assuntos que passou a trazer para a televisão: eutanásia, homossexualidade, transformação no comportamento sexual da mulher. Tinha muito sensacionalismo e muito conservadorismo também. De qualquer forma, Hebe considerava que estava dando "uma guinada de 180 graus" no estilo do programa. Os debates realmente chamaram a atenção, não só do público, mas também de uma entidade muito temida na época: a Censura. Superada a briga com Walter Clark, a volta de Hebe à Bandeirantes foi marcada por duas novas guerras: uma, no campo profissional, contra os censores; a outra, no campo pessoal, contra Lélio. O programa ia bem; o casamento, nem tanto.

Além de conduzir os debates, Hebe recebia sempre seis ou sete convidados por noite. O cardápio de atrações era sempre variado. Numa noite, podia receber o senador Teotônio Vilela, o cantor João Bosco, as cantoras Rosemary ou Gretchen e a destaque de escola de samba Pinah. Na outra, o carnavalesco Evandro de Castro Lima, a mulata Marina Montini, os cantores Jessé e Luiz Ayrão, o casal Emerson e Cristina Fittipaldi. Numa terceira, o atleta Pelé, o dramaturgo Naum Alves de Souza, a cantora Zizi Possi, o cantor Jair Rodrigues e a dupla performática Baby e Pepeu. A mistura sempre dava certo, mas a espontaneidade da Hebe era, sem dúvida, a maior atração do programa. O público assistia porque sabia que a apresentadora sempre lhe reservava uma surpresa. Como na noite em que, após a apresentação de Maria Lúcia Godoy cantando a "Bachiana número 5", de Villa-Lobos, Hebe, sem palavras para descrever sua emoção, aproximou-se da cantora lírica e lhe deu um beijo na garganta. Ou ainda naquele programa de maio de 1983 no qual Hebe, que já não cantava havia tempos, abriu a noite interpretando de forma dramática "Começar de novo", a canção que Ivan Lins e Vitor Martins tinham composto para a abertura do seriado *Malu Mulher*, com Regina Duarte, que fizera história alguns anos antes na Globo. A letra se encaixava perfeitamente no recado que Hebe queria passar.

Começar de novo e contar comigo
Vai valer a pena ter amanhecido
Ter me rebelado, ter me debatido

Ter me machucado, ter sobrevivido
Ter virado a mesa, ter me conhecido
Ter virado o barco, ter me socorrido.

Hebe tinha virado a mesa e desfeito o que todos acreditavam ser um conto de fadas vivido na maturidade. Tinha se separado de Lélio. E, continuando a canção, cada vez mais dramática, pintava um retrato nada principesco do agora ex-marido. O príncipe virara sapo.

Sem as tuas garras sempre tão segura
Sem o teu fantasma, sem tua moldura
Sem tuas escoras, sem o teu domínio
Sem tuas esporas, sem o teu fascínio
Começar de novo...

Hebe anunciava ao mundo que estava começando de novo. E deixava claro que o bom momento profissional se misturava a uma fase ruim na vida particular. Cansada do relacionamento que já mantinha por quase dez anos, colocou um ponto-final nas madrugadas cheias de álcool e brigas que faziam o filho, Marcello, sofrer.

"Eu fazia só as coisas de que ele gostava, só ia aos lugares que ele queria ir, só vivia a vida dele", declarou numa entrevista, meses depois. "Lélio não se interessava pela minha família, meus amigos, não queria saber de meus gostos. E cada vez mais ele se sentia dono da situação. Estava ficando uma pessoa malcriada, não dava valor a nada, só via as coisas erradas. Tinha quinhentas meias na gaveta e se irritava porque queria exatamente a que estava lavando. Eu sempre aceitando tudo, até que de repente comecei a perceber que aquilo não estava certo. Eu tinha direito à minha individualidade, ao meu espaço, estava ficando Amélia demais."

Hebe sempre foi uma mulher independente. Com Lélio, passou a trocar seus amigos pelos dele, sua família pela dele, as cidades que escolhia para viajar pelas cidades de que Lélio mais gostava. Deixou de viver a sua vida para viver a vida de Lélio. Isso não combinava mesmo com ela. Hebe já havia se definido na entrevista a Ézio Ribeiro, da revista *Ilusão*: "Me considero uma feminista, embora sem exageros ou radicalismos. Quero trabalhar ao lado do homem, ajudando-o e sendo ajudada, e não contra ele. A independência da mulher é uma coisa importantíssima, que deve ser conquistada e preservada." Ultimamente, Hebe tinha tudo ao lado de Lélio, menos independência. Resolveu dar um basta e, como costumava fazer sempre que vivia uma dificuldade em casa ou no trabalho, chamou Claudio.

Claudio Pessutti é sobrinho de Hebe. Só isso, não. Sempre foi o sobrinho preferido dela. Filho de Lourdes, a irmã mais velha da apresentadora, foi criado também por Hebe. Para ele, ela era uma segunda mãe. Para Hebe, Claudio também era um filho. Mais velho que Marcello, era considerado um irmão pelo primo. "Às vezes eu não sabia como chegar na minha mãe. Falava com o Claudio primeiro", conta Marcello. "Ele é meu irmão. Amo ele de paixão." Informalmente, Claudio era o filho mais velho, o empresário, o motorista, o quebra-galhos de Hebe. Era a ele que ela recorria quando os problemas em casa ficavam mais sérios.

Como naquele maio de 1983. Hebe queria se separar, mas não sabia como resolver isso com Lélio. Providencialmente, o marido, então, viajou a trabalho. Em entrevista à *Contigo*, ele próprio relatou o que aconteceu. "A Hebe sempre foi uma companheira espetacular, perfeita", definiu. "Mas eu tive uma fase de autoafirmação que me levou a fazer coisas absurdas. Um dia, eu estava em Budapeste. Pois tive a pachorra de telefonar de lá só para discutir e ofender a Hebe." Ela desligou e foi aí que "chamou o Claudio". Enquanto Lélio continuava no exterior, ela comunicou ao sobrinho que estava se separando naquele dia, que queria sair de casa naquele dia, que precisava de um novo lugar para morar naquele dia. Hebe queria fugir de casa.

De Budapeste, Lélio foi para Paris, e, enquanto fazia o check-in no hotel, Claudio já tinha alugado uma casa na rua Professor Muniz, no Alto de Pinheiros, e organizado a mudança. "Foi tudo na surdina", relata Marcello. Mas nem tão na surdina que a imprensa de mexericos não tomasse conhecimento. No dia 25 de maio, a separação já era assunto no jornal *Notícias Populares*:

"A apresentadora Hebe Camargo separou-se mesmo de seu marido, Lélio Ravagnani. A união durou dez anos, e Hebe garante que só tem boas recordações. O fim do casamento, segundo ela, deve-se ao desgaste que normalmente ocorre entre todo casal. Lélio encontra-se em viagem pela Europa, e Hebe resolveu deixar a mansão do Morumbi onde viviam (e que é de propriedade dele), transferindo-se, juntamente com seu filho, Marcello, para uma ampla casa no Alto de Pinheiros, que aproveita para decorar em seu tempo livre. A apresentadora está enfrentando a situação com muita classe e dignidade, sem essa de esconder a verdade da imprensa e do público. Uma questão de coragem, né?"

A notícia no jornal saiu numa quarta-feira. No dia seguinte, Lélio recebeu o telefonema de um amigo do Brasil. Ele queria saber se o casal tinha se mudado da casa no Morumbi. Lélio achou graça. "É claro que não." O amigo explicou que tinha "ouvido falar" que Hebe alugara uma casa no Alto de Pinheiros. Lélio ficou desconfiado e ligou para casa. No Morumbi, o telefone foi atendido pelo jardineiro. Lélio estranhou. Ele não sabia que a cozinheira, o mordomo e o copeiro tinham se mudado com Hebe. Pediu que ele chamasse "a patroa". O jardineiro foi curto e grosso: "Dona Hebe não mora mais aqui."

Lélio enlouqueceu. Passou a sexta-feira tentando antecipar sua volta ao Brasil. Conseguiu embarcar à noite, no mesmo momento em que Hebe cantava "Começar de novo" em seu programa de TV. Chegou a São Paulo no sábado e descobriu que nem sabia onde a mulher estava morando. Obteve o endereço com amigos. Passou a enviar todos os dias flores e cartas pedindo a reconciliação. Hebe nem respondia. Tentava marcar um jantar com Claudio. Ele recusava. Tentava marcar um jantar com Marcello. Ele também recusava.

No fundo, Lélio sabia que a separação já estava sendo anunciada havia três meses. Ele considerava o início da crise uma sexta-feira em que tinha combinado sair à noite com a mulher. Hebe chegou em casa pronta para a noitada, depois de uma tarde no cabeleireiro, e encontrou o marido bebendo e jogando pôquer com amigos. Não era uma situação inusitada, mas Lélio parecia especialmente mal-humorado naquela noite. Ela cumprimentou todos, beijou o marido e foi para o quarto. Depois do jogo, ele apareceu, de pileque e disposto a mais uma madrugada de brigas. "Perdi uma fortuna", disse, esperando que Hebe reagisse com raiva. Mas Hebe foi compreensiva. Isso só irritou Lélio, que brigou mesmo assim. Pior: passou a ignorar a mulher. No mês seguinte, no aniversário de Hebe, em vez da festa black tie que sempre organizava, ele mandou um telegrama de parabéns. Isso mesmo. Era um casal que morava junto, que dormia no mesmo quarto e, no dia do aniversário dela, ele achou adequado enviar um telegrama. Nem as rosas vermelhas de que ela tanto gostava, nem a caixa de marrom-glacê que a tinha conquistado dez anos antes, nem um presente, nem uma festa. Só um telegrama!

Ele reconheceu o erro em entrevista publicada, dez dias depois da separação, pela revista *Contigo Superstar*. Era um desabafo, uma confissão de culpa, mas também uma estratégia para trazer Hebe de volta: "Sou o único culpado pelo que aconteceu. Transformei a vida dela num verdadeiro inferno. Nesses últimos meses que vivemos juntos, a todo momento desafiava a Hebe a me abandonar. Fui um louco, uma besta. Preciso sofrer o que estou sofrendo para reconhecer a mulher maravilhosa que ela sempre foi."

Lélio deu a entrevista bebendo uísque. A cada dose que tomava, tornava-se mais melodramático: "Desde o dia em que Hebe me deixou, a única coisa que tenho feito é beber. Não consigo comer e nem pensar direito. Aqui tudo me lembra ela. Eu quase consigo sentir sua presença."

Mais uma dose de uísque e outra de melodrama: "Hebinha saiu desta casa com a mesma altivez com que entrou. Só levou as coisas que lhe pertencem — joias, roupas, quadros, objetos de arte. Ela me deu uma lição com essa atitude. Se um dia voltar, vai ser recebida como uma rainha. Não houve adultério, nem da minha parte, nem da parte dela. A Hebe não é uma mulher de infidelidades. Nem quando se sente desprezada pelo marido, da forma como eu a desprezei. É uma mulher íntegra, íntegra, íntegra!"

"EU ESTAVA FICANDO AMÉLIA DEMAIS"

A garrafa já estava quase acabando, Lélio tomou um último gole e fez o último desabafo: "Agora sei que a coisa que mais quero é Hebinha de volta. Não sei viver sem ela. Na nossa idade, eu com 60 anos, ela com 55, é difícil encontrar um amor sincero como o que eu encontrei e perdi. Não sei o que fazer aqui sozinho. Não quero mais empregados. Almoço perto do meu escritório na cidade. À noite, frito alguns ovos, como com pão. Sempre sozinho, pois não quero companhia. Agora, nem que aparecesse a mulher mais bonita do mundo na minha frente eu sairia com ela. Me sinto um impotente. Só quero Hebe. Só Hebe!"

Hebe não se sensibilizou. Os leitores da *Contigo Superstar* podiam até pensar que Lélio estivesse exagerando. Quem conhecia o casal de perto, porém, sabia que ele estava sendo sincero. Marcello, por exemplo, não se surpreendeu. "Lélio pode ter tido todos os defeitos", diz ele. "Mas tinha duas características que ninguém pode negar. Era trabalhador, acordava todo dia às seis da manhã, ia pro escritório e só voltava às seis da tarde, e era apaixonado pela minha mãe."

O ambiente no Alto do Pinheiros não foi tranquilo como Hebe imaginava que seria. O conflito com Lélio, no Morumbi, foi substituído, na casa recém-alugada, por um novo conflito, desta vez com Marcello. O filho único de 17 anos não fugiu ao clichê de adolescente rebelde. Marcello passou a sair de noite, a voltar tarde para casa, a andar com companhias que Hebe não conhecia. As brigas que tinha com o marido foram substituídas por brigas com o filho. E foi assim até o dia em que Marcello flagrou uma conversa da mãe com a amiga e produtora de seu programa Regina de Souza. No diálogo, Hebe queixava-se do comportamento do filho e disse uma frase da qual Marcello não se esquece até hoje. "E eu me separei por causa dele."

"Eu sempre desejei a felicidade da minha mãe. Apoiei a sua separação porque achei que ela estava infeliz no casamento. Mas eu não podia ser o motivo de ela se separar do Lélio. Se ela estava infeliz separada, preferia que voltasse pra ele", diz Marcello, mais de trinta anos depois.

A primeira providência que Marcello tomou foi aceitar o convite de Lélio para jantar. O padrasto contou o quanto estava sofrendo, como estava arrependido da maneira como tinha tratado Hebe, que estava disposto a mudar, que se ela voltasse tudo seria diferente. A segunda providência foi convencer Hebe a aceitar o convite de Lélio para jantar. E Hebe, dois meses depois de fugir de casa, saiu com Lélio para conversar.

A conversa demorou mais alguns meses. Em setembro, quando Marcello fez 18 anos, o casal continuava separado. Lélio deu ao enteado um carro como presente de aniversário. Os dois continuavam saindo, Hebe chegava cada vez mais tarde em casa, mas era um namoro. Ainda não estava oficializada a reconciliação. Em dezembro, houve uma noite em que Hebe não voltou para casa. Marcello, então, resolveu apressar o retorno. Foi até o Morumbi, bateu na porta da casa de Lélio, chamou Hebe e se abriu: "Mãe, eu tenho 18 anos. Eu vou morar onde você estiver. Se você quiser ficar aqui, eu volto pra cá também." Hebe e Lélio voltaram a morar juntos.

Hebe costumava dizer que, entre o primeiro jantar e o dia em que dormiu pela primeira vez fora de casa, ela e Lélio conversaram "tudo o que não tinhamos conversado em dez anos" de casados. "Pusemos todas as mágoas para fora, discutimos nossas falhas. Os porquês dos desentendimentos. Aí, a relação foi ficando gostosa de novo." Ela só fez uma exigência na volta ao lar: os dois passaram a dormir em quartos separados. Ela queria se livrar do incômodo que o cigarro de Lélio lhe provocava.

A relação podia estar "gostosa" em casa, mas, no trabalho, Hebe passou a viver uma fase difícil. Como muitos artistas do país, ela descobriu a ação da Censura. A ditadura militar já vivia seu último governo, o do general Figueiredo. Falava-se em Nova República, mas a Censura parecia não querer sair de cena. Até então, Hebe não se queixava da força daquela entidade que prejudicava o teatro, o cinema, a música e a televisão no Brasil. Hebe não tinha muito o que contar sobre esse assunto. Lembrava-se de uma vez, ainda na primeira temporada na Bandeirantes, em que levou uma reprimenda por um programa no qual recebeu o cantor Juca Chaves. Ele levou de presente para a apresentadora uma calcinha de rendas e babados. Querendo fazer graça, Hebe sacudiu a calcinha e se dirigiu ao marido, que estava na plateia: "Olha, Lélio, que noite nós vamos ter." Mas, como ela insistia em dizer, tinha sido só uma reprimenda.

A primeira estocada que Hebe recebeu foi consequência do programa exibido na noite de 6 de julho de 1984. A principal atração era a comediante Dercy Gonçalves, uma entrevistada que rendia sempre. O assunto era Roberta Close, um travesti que fazia sucesso na ocasião. Hebe quis saber de Dercy o que ela achava de um travesti ser considerado a mulher mais bonita do Brasil. Dercy estranhou a pergunta. "Aquele veado?" Enquanto Hebe ria da reação da atriz, Dercy, na tranquilidade dos 77 anos que tinha, abaixou as alças de seu vestido e deixou os seios à mostra. "Esses são de verdade, não são de silicone como os da Roberta Close."

No dia seguinte, o presidente da Bandeirantes, João Saad, recebeu um ofício da chefe do Serviço de Diversões Públicas, Maria Inês Rolim Cauchioli. A censora reclamava das "palavras de baixo calão" pronunciadas na véspera, descrevia o que aconteceu durante a entrevista como "manifestações intoleráveis em espetáculo televisivo" e ainda repreendia a dona do programa: "A apresentadora Hebe Camargo aplaudiu, enalteceu, achando que era um ato de coragem."

Hebe não se intimidou. Em entrevista, na mesma semana, à repórter Tânia Regina Pinto do jornal *Folha da Tarde*, avaliou o acontecido: "Eles querem censura prévia. Mas o programa continuará sendo feito ao vivo porque, segundo me consta, estamos vivendo num país democrático, livre, cuja abertura o próprio presidente Figueiredo ofereceu, estendendo a mão, dando-nos o direito de assim proceder."

Como Hebe previu, o programa continuou sendo transmitido ao vivo. Mas por pouco tempo. Alguns meses depois, num debate sobre educação, o dramaturgo Plínio Marcos falou mal do governo, usou aquelas palavras que a Censura considerava "de baixo calão", e... a Bandeirantes botou a apresentadora de castigo. Seu programa passou a ser gravado. Isso durou seis meses. No começo de 1985, voltaram as emissões ao vivo, e a Censura voltou a atacar também.

Hebe passou a ser vista como rebelde. E não discordava da avaliação. "Estou rebelde, sim", concordou em entrevista a Edmar Pereira para a revista *Doçura*. "Porque, como está, não pode continuar. É preciso esclarecer as pessoas, mostrar a elas quais são os seus direitos, o que elas podem reivindicar. Mesmo quando a gente perde a causa, a luta vale a pena. Acho que está tudo muito injusto, estamos vivendo uma espécie de retorno à barbárie. Então, na medida em que a gente pode, vamos esclarecendo as pessoas."

Rebelde mesmo com a Censura sempre de olho, Hebe insistia nos debates. Houve a noite em que o assunto a ser discutido era a prostituição masculina. Hebe levou ao palco um garoto de programa. Ele usava uma máscara para não ser identificado. A imagem por si só já era grotesca. Mas tudo ficou pior quando ela anunciou a trupe de debatedores/entrevistadores: o ator de filmes eróticos David Cardoso, a atriz de filmes eróticos Nicole Puzzi, a garota-propaganda de uma marca de sardinhas Adele Fátima, a atriz de novelas Geórgia Gomide e o travesti Roberta Close. Com o grupo todo no palco, ficava claro que o debate não era para ser levado a sério. Era só entretenimento. Mas fazia parte do roteiro fingir que aquilo era uma discussão de verdade. Hebe então anunciou mais uma participação, justamente aquela que poderia dar alguma credibilidade à conversa que se avizinhava. "Nós fomos em busca de uma socióloga", gabou-se antes de apresentar Eva Lakatos, sem deixar de dizer que "ela tem livros publicados". Com "livros publicados", quem poderia duvidar de que ela estivesse capacitada para a função?

Hebe fez a primeira pergunta:

"As mulheres que fazem esse trabalho são chamadas de prostitutas. E os homens?"

"Rapazes de programa", respondeu a socióloga, do alto de seu conhecimento.

E essa foi a única contribuição de Eva Lakatos ao debate. A certa altura, um senhor da plateia quis saber se o entrevistado também atendia homens. Hebe foi rápida na piada:

"Por quê? O senhor está interessado?"

O público riu. O conservadorismo ficou em destaque quando Geórgia Gomide interrompeu a conversa para criticar o entrevistado:

"Ah... vai arranjar um trabalho decente."

O público aplaudiu.

Algumas semanas depois, na noite de 25 de maio, o assunto era a homossexualidade feminina. Estavam no palco o escritor Ignácio de Loyola Brandão, a atriz Maria Lúcia Dahl, a jornalista Marília Gabriela, a antropóloga Rosely Roth e a dona de casa Maria Amélia. A conversa pegou fogo, e a Censura chegou à conclusão de que Hebe tinha ultrapassado todos os limites. O resultado foi novo ofício dirigido ao empresário João Saad, desta vez assinado por Dráusio Dornellas Coelho, do Serviço de Censura Federal em São Paulo:

"Demonstrando não ter pulso e nem saber conduzir o tema enfocado, a apresentadora Hebe Camargo permitiu que seu programa se transformasse numa tribuna livre de aliciamento, indução e apologia ao homossexualismo feminino. (...) Assim colocado, solicito ao digníssimo presidente dessa conceituada rede enérgicas providências junto à apresentadora e que seja elevada a faixa etária do programa em referência com gravação prévia."

A pressão da Censura estressava a equipe do programa, mas, ao mesmo tempo, fazia com que tudo o que acontecia no palco da Hebe tivesse repercussão. A apresentadora era notícia de jornal toda semana. Na verdade, o que prejudicava o clima nos bastidores não vinha de fora. Hebe passou os três anos em que esteve na emissora reclamando de salários atrasados, reivindicando aumento para os funcionários da produção e pedindo para subir o cachê dos convidados. Hebe não gostava do camarim que usava, que nem mesmo tinha banheiro privativo. Reclamava do cenário, que não era renovado desde a estreia e vinha se desgastando, a cada semana, diante do público. Achava que a emissora dava mais atenção a outros programas, como os de Marília Gabriela e J. Silvestre, que tinham chegado à emissora depois do dela. Queixava-se também do excesso de comerciais nos intervalos de seu programa. Como era dela a maior audiência, a estação aproveitava para anunciar naquele horário as outras atrações da casa. Às vezes, um intervalo de *Hebe* durava oito minutos. Ela sabia que, quando isso acontecia, os espectadores mudavam de canal.

No fim de 1985, seu programa perdeu a plateia e passou a ser transmitido de um estúdio. Ela ficou insatisfeita. Sempre valorizou o auditório. Houve mesmo uma noite em que ela não tentou esconder do público o que estava acontecendo. Ia ao ar um debate sobre o riso com a presença de Lolita Rodrigues e Nair Bello (sempre elas), dos comediantes Paulo Celestino e Serginho Leite e da atriz de cinema Matilde Mastrangi. A Bandeirantes não tinha nenhum programa de humor no ar. Por mais de uma vez, então, Hebe e seus convidados se referiram a programas de outras emissoras. João Saad, que assistia a tudo de casa, ligou para a estação reclamando que Hebe estava fazendo propaganda dos canais concorrentes. O recado chegou aos ouvidos da apresentadora enquanto ela estava no ar. Ela não teve dúvidas. Jogou o microfone no chão e encerrou o programa mais cedo.

É difícil entender por que a Bandeirantes tratava Hebe assim. Ela era mesmo a estrela da casa. Em agosto de 1985, a emissora fez uma pesquisa para avaliar o programa. Foram realizadas 91 entrevistas por telefone, das quais 55% com pessoas que em algum momento já tinham declarado ter o hábito de assistir ao *Hebe*. O restante da amostra foi aleatório. O resultado foi altamente positivo para Hebe. "Sessenta e cinco por cento da amostra total declararam assistir ao programa de três a quatro vezes por mês, mostrando uma audiência cativa", constata o resumo da pesquisa. "As opiniões em relação à apresentadora são na sua maioria muito favoráveis, tendo depoimentos como 'o que a Hebe fizer está ótimo.'" A pergunta "O que acha da Hebe como apresentadora?" recebeu as seguintes respostas espontâneas: "Comunicativa, extrovertida, descontraída, versátil, informal, apresenta com garra, fala o que é verdade, prende a atenção, é liberada para falar, não enrola, fala na cara das pessoas, é bondosa, fala com clareza, é bem popular."

Mesmo assim, o rompimento com a Bandeirantes era questão de tempo. O contrato de Hebe, que lhe garantia um salário mensal de 35 milhões de cruzeiros, terminava no fim do ano. Com tantos problemas, dificilmente Hebe iria renová-lo. No dia 21 de dezembro de 1985, Hebe entregou sua carta de demissão à Bandeirantes e nem esperou que os executivos da emissora tentassem demovê-la da intenção de deixar a casa. Embarcou num avião com Lélio para passar o Natal em Nova York e o réveillon em Paris.

"A Bandeirantes faturava horrores com o meu programa", reclamou a apresentadora, numa entrevista no começo de 1986, já pondo sua relação com a emissora no passado. "Os merchandisings eu precisava cortar, senão sobrava muito pouco tempo de programa. Mesmo assim, eles não melhoravam as verbas da produção."

Na época, o apresentador Otávio Mesquita trabalhava no departamento comercial da estação. Ele era um dos responsáveis por conseguir contratos publicitários para os programas da casa. "Era um monte de estrelas. Tinha o Bolinha, o Flávio Cavalcanti, o J. Silvestre... Mas a Hebe era a estrela mais importante", conta ele agora. "Ao mesmo tempo, era muito fácil trabalhar para ela. Tinha fila de produtos querendo fazer merchandisings no seu programa."

Quando voltou da viagem, Hebe surpreendeu a todos anunciando que renovaria seu contrato com a Bandeirantes. Em janeiro de 1986, toda a imprensa publicou a notícia. A carta de demissão que ela tinha deixado antes de viajar deveria ser esquecida.

Hebe passou a ganhar setenta milhões de cruzeiros por mês. Ou setenta mil cruzados, na nova moeda criada naquele começo de ano. É difícil calcular quanto valeria isso atualmente, mas, de qualquer maneira, era o dobro do que recebia no ano anterior. Ganhou ainda um camarim de estrela, com um banheiro só para ela. Voltou a ter auditório e um programa ao vivo. Só não seria mais aos domingos, nem às sextas-feiras. O *Hebe* agora seria apresentado às terças-feiras. Isso quer dizer que a Bandeirantes cedeu a todas as reivindicações de sua maior atração? Não. Em outro movimento inesperado, Hebe não renovou seu contrato e assinou com a TVS, a emissora de Silvio Santos, que ainda não se chamava SBT e onde ela passaria os 24 anos seguintes. Foi na TVS que Hebe conseguiu um salário melhor, um camarim decente e a volta de seu programa ao vivo.

E com Lélio? Estava tudo bem? É Marcello quem relata o que aconteceu após a reconciliação: "No começo, ele estava uma seda. Mas, alguns meses depois, ficou tudo igual outra vez."

CAPÍTULO 11

"QUERIDINHO, EU TENHO QUE DESCER UMA ESCADA"

Colega de Hebe nos tempos da TV Paulista, quando apresentava o programa de prêmios *Vamos Brincar de Forca?*, Silvio Santos, em 1986, era também um empresário milionário. Detentor do controle acionário do Banco PanAmericano, ele faturava alto com a venda de sonhos à prestação. Por meio de um carnê que demorava um ano para ser pago, os "fregueses" participavam, todos os meses, de sorteios de casas e automóveis. Quem não era contemplado trocava o carnê quitado por eletrodomésticos de uma rede de lojas que também pertencia a Silvio. O complexo banco/loja/carnê era conhecido popularmente como Baú da Felicidade, e seu feliz proprietário como "o homem do Baú". O passo seguinte do "homem do Baú" foi comandar uma rede de emissoras de TV. Ele deu a partida comprando, no início dos anos 1970, 50% das ações da TV Record, em São Paulo, e, em 1975, ganhou a concessão do Canal 11 do Rio de Janeiro, inaugurando a primeira

TVS. Em 1985, recebeu as concessões da TV Tupi de São Paulo, da TV Continental do Rio, da TV Marajoara de Belém e da TV Piratini de Porto Alegre, iniciando, enfim, a sua rede, que viria a se chamar Sistema Brasileiro de Televisão (SBT).

Já no seu primeiro ano de vida, o SBT conquistou uma audiência de perfil parecido com a que prestigiava o antigo programa semanal de TV de Silvio Santos. Era uma boa audiência — 24% do total de espectadores —, quase toda pertencente às classes B, C e D. A mesma plateia que vibrava com os quadros da maratona apresentada por ele todos os domingos e que não poucas vezes o mantinha no ar durante 14 horas seguidas. Gente que se entusiasmava com "Os Galãs Cantam e Dançam na TV" ou "Rainha por um Dia", atrações que não escondiam seu caráter sensacionalista. Mas a razão do sucesso também era a raiz do problema. Para os domingos, bastava o patrocínio do Baú da Felicidade. Quem comprava o carnê era obrigado a assistir ao programa a fim de acompanhar os sorteios. Para o restante da programação, era preciso haver uma diversidade maior de anunciantes. A ausência de espectadores da classe A gerava resistência nas agências de propaganda. Os artistas que se apresentavam nos shows da emissora eram os mesmos cantores e comediantes populares escalados para o *Programa Silvio Santos*, aqueles que afugentavam o público mais exigente. Resultado: muita audiência, mas pouco faturamento. Foi aí que Hebe Camargo passou a interessar ao SBT. Ela conhecia todo mundo. E todo mundo gostava da Hebe. Um programa conduzido por ela certamente traria os cantores da MPB, os atores de teatro e os políticos que frequentavam o seu sofá desde os tempos de *O Mundo É das Mulheres*. Contratando Hebe, o SBT acrescentaria à sua receita de sucesso um ingrediente que viria com ela da Bandeirantes: prestígio.

A estreia de *Hebe* no SBT reuniu um trio que já tinha se esbarrado muitos anos antes. Na Rádio Nacional de São Paulo, no começo da década de 1950, Hebe era cantora exclusiva; Luciano Callegari, office boy; Silvio Santos, locutor. Agora, no SBT, Callegari era diretor artístico; Silvio, o presidente; e Hebe, a principal estrela da casa, com um contrato de um ano e o compromisso de protagonizar uma atração semanal com duas horas e meia de duração.

Hebe não levou para a nova emissora ninguém de sua equipe da Bandeirantes, mas Callegari não queria mexer muito na fórmula que havia consagrado a apresentadora. Quando escalou o jovem Hélio Vargas para dirigir o programa, deu a ele uma única recomendação: criar um show "esteticamente bem-acabado". *Hebe* foi o primeiro trabalho de Vargas como diretor, e as reuniões com a estrela começaram quarenta dias antes de o programa estrear. Elas aconteciam na casa do Morumbi, sempre depois do almoço. "Formei uma equipe um pouquinho mais jornalística. Mas fui com meia boca e quatro ouvidos. Minha ideia era correr atrás dela", Vargas revela. Na primeira reunião, Hebe o recebeu com espírito de celebração. "Vamos comemorar o nosso encontro", foram suas primeiras palavras, antes de abrir uma garrafa de champanhe.

"Ela estava aberta a fazer coisas, mas com o formato vencedor da Record. Eu não tinha o que inventar", relata Vargas, trinta anos depois. "Ela vinha refazer um clássico dos programas de entrevistas." Hebe queria muito ver o esboço do novo cenário, e essa foi a única discordância entre os dois. Ele apresentou uma cenografia limpa, branca, com o tradicional sofá, um espaço para a orquestra e um cantinho para o merchandising. Hebe não gostou. "Onde está a escada?", quis saber. Hélio Vargas estranhou. Não havia previsão de mais nada para o cenário. "Queridinho, eu tenho que descer uma escada", explicou ela. Vargas voltou para a emissora, encomendou um croqui que incluísse uma escada, submeteu-o à avaliação de Hebe e, finalmente, a cenografia foi aprovada. Tempos depois, em entrevista ao *Jornal da Tarde*, uma das muitas que concedeu nos dias que antecederam sua nova volta à TV, ela justificou a exigência: "Esperam de mim uma entrada triunfal, os passos decididos numa escadaria e que dão efeito visual incrível. Por que sonegar alegria?"

Com meia hora de atraso, às 21h45 do dia 4 de março de 1986, entrava no ar pela primeira vez na TVS a vinheta de abertura de *Hebe*. Sobre uma montagem de fotos e vídeos em que a artista aparecia com figurinos variados, penteados diferentes e o mesmo sorriso de sempre, havia destaque para toda a equipe nos créditos: Carmen Portella e Paula Abou-Jaoudé (produção), Leila Corumba (produção musical), Mario Tadeu (redação e texto), Aurora Prado (produção-geral) e Hélio Vargas (direção-geral). A música de abertura do programa era cantada em coro:

> *Uma estrela no ar*
> *Numa nova constelação*
> *Hebe, Hebe*
> *Sempre uma nova emoção*
> *Hebe, Hebe*
> *A vida na palma da mão*
> *Um sorriso de criança*

Olhar cheio de esperança
Hebe, Hebe
Amor em primeiro lugar
Hebe, Hebe
Uma estrela no ar

Em seguida, houve um corte para o palco do teatro Silvio Santos, o antigo Cine Sol, na avenida General Ataliba Noel, no bairro de Vila Guilherme, em São Paulo, onde Hebe surgia descendo uma escadaria não muito alta. Calçava sapatos de salto 10, que, segundo ela dizia, "sempre deixam a mulher mais elegante". Usava os cabelos puxados para trás num pequeno coque e um vestido longo, cheio de brilhos, em preto e branco, com ombreiras pronunciadas que logo valeram ao traje o apelido de asa-delta. "Já na estreia, a roupa que ela usava virou uma atração do programa", Vargas se lembra.

Durante a preparação da pauta de estreia, Hebe alertou o diretor mais de uma vez: "Hélio, sem surpresas." Naturalmente emocionada, ela não queria piorar a situação sendo obrigada a lidar com algo inesperado no palco. Hélio Vargas garantia que nada sairia do roteiro. Mas havia uma surpresa programada, sim. O apresentador Flávio Cavalcanti, um dos muitos convidados para assistir ao programa no teatro, pediu para tomar o microfone de Hebe e dizer algumas palavras de improviso em sua homenagem. Mais ainda: ele estaria acompanhado da mulher, Belinha, que, como Hebe sabia, tinha a saúde frágil e chegaria em uma cadeira de rodas. Flávio e Hebe nunca chegaram a trabalhar juntos, mas haviam seguido carreiras paralelas. Viveram a mesma época do rádio e do começo da TV. Por esse motivo, qualquer palavra do colega provocaria uma comoção difícil de controlar. Ainda assim, Vargas aceitou a ideia de Flávio e a escondeu de Hebe.

Dias antes da data da estreia, Vargas foi ficando nervoso e culpado pelo fato de Hebe não saber o que estava sendo tramado. Pior: ele era novato no meio, e a surpresa que ela tanto queria evitar poderia ser considerada uma traição. No dia marcado para Hebe reencontrar seu público, ele resolveu abrir o jogo. À tarde, foi atrás da artista em um local que ela sempre visitava antes de entrar em cena: no salão Colonial, no bairro de Cidade Jardim, Vargas encontrou Hebe entregue aos cuidados de Antônio Carlos, o cabeleireiro em quem ela mais confiava. Além dele, um grupo de mulheres tratava de suas mãos e pés. Vargas descreve a cena como se fosse "Elizabeth Taylor se preparando para entrar no set de *Cleópatra*". Pois ali mesmo o diretor revelou o segredo da intervenção de Flávio Cavalcanti e voltou aliviado para a Vila Guilherme. Na hora do programa, Hebe se manteve firme. Fingiu espanto com a presença do colega, homenageou o apresentador, fez um carinho em Belinha e seguiu em frente. Flávio perdeu a oportunidade de surpreendê-la.

Mas Flávio Cavalcanti não era o único convidado. Alguns, os mais importantes, ficaram em cadeiras dispostas no palco. Eles estavam lá simplesmente para assistir ao programa, para prestigiar Hebe, mas o SBT aproveitou para exibi-los ao público. Entre entrevistados e convidados, estiveram no primeiro *Hebe* da TVS a travesti Roberta Close, o jogador e técnico de futebol Carlos Alberto Torres com a mulher, a atriz Terezinha Sodré, a jornalista Sonia Abrão, a comediante Nair Bello, a dona das lojas Marisa e amiga da apresentadora havia mais de vinte anos, Rosinha Goldfarb, a atriz Nívea Maria, o delegado Romeu Tuma, o cantor Wando, o dirigente esportivo Vicente Matheus e sua mulher, Marlene, a atriz Lucia Veríssimo, a cantora Elba Ramalho, o ator Jece Valadão, o jornalista Giba Um... Falta alguém? Ah, sim. Agnaldo Rayol também esteve presente.

"Tentamos o Silvio Santos, mas ele não quis ir", conta Hélio Vargas. Na opinião do diretor da atração, o tiro de Silvio ao contratar Hebe para trazer prestígio a seu canal foi certeiro. "A Hebe se envolvia muito. Ela telefonava para os possíveis entrevistados, e todos aceitavam ir ao programa. Na segunda edição, já tínhamos Sonia Braga, no auge da repercussão de *O beijo da mulher aranha*, e Emerson Fittipaldi, que fazia sucesso nas corridas de Fórmula Indy."

O programa era captado por quatro câmeras no chão. "Eu fazia pouquíssimas marcações", diz Vargas. "A linguagem era 'cacem a Hebe'. Ela sempre sabia qual era o melhor enquadramento."

Talvez a maior surpresa da noite de estreia não estivesse na lista de convidados. No meio do programa, Hebe, que sempre gostava de se declarar apolítica, elogiou o presidente Sarney e o seu congelamento de preços. Pouco mais de um ano depois do fim da ditadura militar, o Brasil ainda não havia tido eleições diretas, mas já era governado por um presidente civil. O programa de Hebe estreou menos de uma semana depois de Sarney fazer um pronunciamento apresentado seu pacote econômico, o Plano Cruzado, que prometia combater a inflação criando uma nova moeda e impondo o congelamento de preços. Hebe mostrou-se uma entusiasta da ideia. "O cruzado é uma gracinha", repetia ela. "Tão bonito de se pronunciar. Além do mais, é cabalístico:

"QUERIDINHO, EU TENHO QUE DESCER UMA ESCADA"

sete letras!" A apresentadora virou uma "fiscal do Sarney", como eram chamadas as donas de casa da época, convocadas para vigiar o congelamento de preços nos supermercados.

A lua de mel com o governo não durou muito tempo. Antes do fim do ano de 1986, sem uma trégua sequer da inflação, o congelamento se transformou em desabastecimento. De fiscal do Sarney, Hebe tornou-se a maior crítica do governo na televisão, e seus comentários geravam grande repercussão. Com o tempo, o público passou a aguardar uma espécie de editorial lá pelo meio do programa. Deu tão certo que o editorial foi transferido para o início da atração. Nos tempos da Record, Hebe abria seus shows cantando. No SBT, passou a emitir sua opinião antes de qualquer outra atração. Quase sempre falava sobre corrupção, o comportamento de deputados e senadores ou ainda sobre o que ela considerava má administração da prefeitura ou do governo paulistas. Quem assistia ao programa *Hebe* sabia, por exemplo, que a apresentadora não gostava do PT e, consequentemente, não simpatizava com Lula e Luiza Erundina, os membros mais famosos do partido na época.

O programa encontrou seu formato quando começou a ser dividido em três partes: o editorial da apresentadora, um debate e um número musical. O editorial era elaborado à tarde, horas antes de Hebe entrar no ar. No camarim, a apresentadora se reunia com o redator, Mario Tadeu, que trazia um apanhado das notícias da semana anterior. Hebe escolhia o assunto sobre o qual queria falar, motivada por um caso de corrupção, uma decisão das autoridades que ela considerava equivocada, um fato que provocasse polêmica. Tadeu a entrevistava para colher sua opinião, redigia rapidamente um texto e o submetia à sua aprovação. A apresentadora o memorizava e, uma hora ou uma hora e meia depois, era com essa fala que abria o programa. Havia uma "dália" — uma cartolina com a reprodução do texto em letras grandes — atrás da câmera para socorrê-la, caso ela esquecesse o texto.

A fórmula caiu no gosto do público. No bloco musical, por exemplo, o programa disputava com o *Fantástico*, da TV Globo, os cantores que estivessem lançando discos. Hebe logo percebeu que não precisava exigir exclusividade para as gravadoras lançarem álbuns em seu programa: deixava que o artista aparecesse primeiro no *Fantástico*, para que ele e a música estourassem. Dois dias depois, Hebe recebia, toda feliz, o mesmo artista, com a música já na boca do povo.

A maior repercussão, porém, vinha mesmo do editorial de abertura. Todo mundo queria ver o que Hebe falaria deste ou daquele assunto. "Ela estava no auge", Hélio Vargas avalia. "Era uma mulher madura, com 57 anos, uma estrela. Estava segura. O casamento não era lá essas maravilhas. Lélio era um cara instável emocionalmente. Ele a tratava como rainha, mas era truculento. Ela era dona do nariz dela. E queria mostrar isso para todo mundo. Ela estava se reposicionando politicamente."

Quando fala em "reposicionamento", Vargas está repensando o rótulo de mulher "conservadora" ou "de direita" que Hebe carregava — e detestava. Sempre que alguém mencionava algo nesse sentido, ela lembrava que, em 1959, participou de uma greve de radialistas em São Paulo, motivada por atrasos no pagamento de salários. Ela se orgulhava de sua atuação naquele movimento. Todas as emissoras ficaram fora do ar, menos a Rádio Eldorado. Hebe foi, então, conversar com o dono da estação, Júlio Mesquita Filho, a quem ela chamava de Julinho. Sua missão era fazê-lo incluir a Eldorado entre as rádios grevistas. De imediato, ele não aceitou o pedido. Seus funcionários estavam com o salário em dia, e ele achava que aquela rádio não tinha nada a ver com o movimento. Decepcionada, Hebe chorou. Chorou tanto que, constrangido, o empresário fez sua Eldorado aderir à greve "em solidariedade". Hebe se considerava vitoriosa na questão e não se importava com os que julgavam o choro uma arma pouco adequada para movimentos sindicais. "Todas as armas são boas, com exceção da violência", ela disse em entrevista à *Playboy*.

Mas as manifestações políticas de Hebe nem sempre foram tão bem-vistas como a da greve dos radialistas. Sua imagem ficou associada, por exemplo, ao golpe que levou a ditadura militar ao poder, já que a artista participou da primeira passeata, entre as dezenas que aconteceram no primeiro trimestre de 1964, pedindo a deposição do presidente João Goulart. Hebe foi das mais entusiasmadas integrantes da Marcha da Família com Deus pela Liberdade, que agitou o centro de São Paulo no dia 19 de março daquele ano. A marcha ocorreu em um dos períodos em que ela esteve afastada da vida artística, noiva de Décio Capuano, com casamento marcado para dali a quatro meses, e não trabalhando mais na TV. A passeata foi convocada pela Campanha da Mulher pela Democracia e pela União Cívica Feminina, entre outras organizações. Sem se filiar a nenhuma delas, Hebe se misturou por conta própria às centenas de milhares de manifestantes. Depois, quando explicava sua adesão ao movimento, dizia, quase simplória, que não sabia do que se tratava. Estava saindo do cabeleireiro, perto da praça da República, quando viu "aquela mulherada toda". Achou bonito e pensou que, "com tantas mulheres, só podia ser coisa boa". Acrescentava que não ouvira bem os discursos feitos na praça da Sé exigindo a queda de Goulart. Os microfones não funcionavam direito. Naquele dia, voltou para casa satisfeita, acreditando ter participado de "uma manifestação bonita num dia lindo".

Na sua trajetória "politizada", houve ainda uma confusão com setores da Igreja que levou Hebe ao noticiário político de todos os jornais paulistas. Foi durante sua segunda passagem pela Bandeirantes. A apresentadora se comoveu com uma reportagem exibida no *Jornal da Band* em que a Comunidade Eclesial de Base (CEB) do parque Santa Madalena, na Zona Leste de São Paulo, explicava o que era o projeto "5 por 2", no qual cinco famílias "adotavam" duas outras cujos chefes estivessem desempregados, suprindo suas necessidades básicas. Hebe resolveu ajudar a comunidade. Ligou para um grupo de empresários pedindo doações e, três dias depois, encheu um caminhão de comida e partiu em direção ao parque Santa Madalena. Chegou lá acompanhada por uma equipe de reportagem da Bandeirantes. Segundo ela, a filmagem seria para seus amigos empresários saberem como tinha sido aplicado o dinheiro que eles haviam doado.

Hebe levou uma tonelada de feijão e arroz, cem quilos de café e o que era descrito pela imprensa como "uma montanha" de pães de forma. Quando chegou à igreja alvo da reportagem que ela vira no telejornal, levou um susto. Sua doação foi rejeitada, e Hebe foi acusada pelos líderes da CEB de estar em busca de autopromoção. "Queremos conscientizar as famílias sobre as causas do desemprego. Não fazemos assistencialismo", justificou Sebastião Andrade, o membro da CEB que a recebeu na igreja. "Sempre fiz isso na minha vida e não vou deixar de fazer", rebateu Hebe. "Só que agora vou procurar ir aos lugares certos." Ela expôs toda a história, aos prantos, em seu programa na Bandeirantes.

O episódio fez Hebe reavaliar sua ligação com a Igreja Católica. Três anos depois, ela ainda se referia ao acontecimento em uma entrevista. "Sou uma católica bem convicta, mas tenho meus problemas com a Igreja, ando meio decepcionada. Então, eu falo diretamente com Deus, sem intermediários, sem passar por padres e cardeais. E as coisas ficam mais simples", declarou.

Líder grevista nos anos 1950, manifestante nas ruas contra o governo de João Goulart na década de 1960, crítica da Igreja progressista que impediu seu trabalho assistencialista nos anos 1980, Hebe construiu na segunda metade do século XX um respeitável currículo de mulher politizada. Mas nada do que tenha feito na área ganhou mais repercussão do que os editoriais de seu programa no SBT. Na nova emissora, ela chegou a ter um milhão e meio de espectadores por semana. Era uma audiência muito grande para ser ignorada pela classe política. E a classe política não ignorou, como ela pôde constatar, em 1987, quando ocorreu o que ficou conhecido como o Caso Hebe. Tudo começou no programa transmitido no dia 17 de fevereiro, uma terça-feira. Do debate faziam parte o jornalista Giba Um e o cineasta Anselmo Duarte. O tema discutido era aposentadoria. Hebe mostrava-se indignada com a condição de vida da maioria dos aposentados brasileiros. Duarte incluiu seu próprio exemplo na conversa. Ele não conseguia comprovar seu tempo de serviço para ter direito à aposentadoria como ator e diretor de cinema.

Hebe lembrou que, por outro lado, os congressistas, em Brasília, transformados naquela época em constituintes, tinham acabado de aprovar um aumento para os parlamentares aposentados. Naquele mês os jornais traziam reportagens mostrando que os trabalhos de elaboração da nova Constituição estavam atrasados porque nunca havia quórum suficiente para que as sessões fossem realizadas. À indignação de Hebe e de Duarte somou-se um comentário de Giba Um chamando os constituintes de "pilantras".

Hebe desenvolveu seu raciocínio: "Um deputado ou senador, que tem um mandato de quatro anos apenas, recebe aposentadoria. Sem falar naqueles que têm cinco aposentadorias." Giba Um, então, fez uma pergunta retórica: "Essa corja, se é assim que pode se chamar, que está saindo da Câmara Federal, não tem o despeito de se autoaumentar já em função de sua própria aposentadoria?"

No dia seguinte, Hebe recebeu um telefonema do jornalista Alexandre Garcia, da Rede Globo. "Sabia que você vai ser processada pelo doutor Ulysses Guimarães?", perguntou. Hebe reagiu com surpresa: "Eu? Mas o que é que eu fiz?" Garcia explicou, então, que alguém contou para o então presidente da Assembleia Nacional Constituinte que ela o tinha chamado de "pilantra" no programa daquela semana, e o deputado estava disposto a processá-la.

Seis meses depois, quando deu a entrevista para o *Roda Viva*, o Caso Hebe ainda era assunto. "Não faz parte do meu vocabulário", ela disse, respondendo a uma pergunta de Leão Lobo. "Eu não o chamaria de pilantra. Mesmo que ele fosse, eu não chamaria. E nem citei o nome do doutor Ulysses. Disseram que eu estava denegrindo o Congresso. Eu estava apenas falando uma coisa em favor de uma população que sequer foi lembrada durante a campanha eleitoral. Os aposentados não foram lembrados, certo?"

Logo após o telefonema de Garcia, Ulysses Guimarães abriu a sessão da Constituinte fazendo um discurso contra Hebe, afirmando que o Congresso Nacional fora atingido por "insultos e injúrias" no seu programa de TV. "A instituição foi ultrajada, talvez por leviandade, o que é inadmissível num meio de comunicação que atinge grandes áreas da população ou, o que é pior, com o intuito de desmoralizar o Congresso Nacional na sua expressão mais alta, a Assembleia Nacional Constituinte."

O deputado comunicou que já havia entrado em contato com o ministro das Comunicações, Antônio Carlos Magalhães, para que ele requisitasse ao SBT as fitas do programa a fim de serem analisadas, e com o procurador-geral da República, Sepúlveda Pertence, que tomaria as medidas cabíveis para praticar a defesa, "mais do que dos constituintes, da democracia neste país". Em outras palavras, Hebe foi considerada pelo Congresso Nacional uma "ameaça à democracia" e deveria ser processada. A ideia era enquadrá-la nos artigos 52 e 53 do Código Brasileiro de Telecomunicações.

O artigo 52 estabelece que "a liberdade de radiodifusão não exclui a punição dos que praticarem abusos no seu exercício". O artigo 53 define dez formas de "abuso", entre elas "caluniar, injuriar ou difamar os Poderes Legislativo, Executivo ou Judiciário ou os respectivos membros". Se fosse considerada culpada, Hebe ainda responderia criminalmente, enquanto o SBT seria penalizado ficando trinta dias fora do ar.

Após o discurso de Ulysses Guimarães, vinte constituintes apresentaram-se para comentar a questão, alguns defendendo, outros criticando Hebe. O deputado gaúcho Paulo Mincarone pediu a palavra para dizer que, no programa, "foi usada uma linguagem de cavalaria, uma indignidade". O deputado baiano Raul Ferraz se fez de vítima: "Estamos sendo levados ao ridículo por verdadeiros picaretas espalhados pelos meios de comunicação." Naquele dia, o Caso Hebe ocupou duas horas do tempo dos parlamentares, que deveriam estar preocupados com a feitura da nova Carta Magna. O assunto foi registrado também, à noite, pelo programa de rádio do governo, *A Voz do Brasil*.

A *Folha de S.Paulo* chegou a publicar, dias depois, um pequeno editorial ironizando a reação de Brasília às críticas de Hebe:

"Ulysses Guimarães acabou de descobrir o inimigo público número 1 do Congresso constituinte: Hebe Camargo.

"Hebe que se cuide, pois vai acabar sendo culpada do plenário vazio, pelos jetons pagos indevidamente, trens da alegria e pela elevação dos proventos dos parlamentares aposentados."

Em entrevistas, o agora superintendente do SBT, Luciano Callegari, reagiu com indignação: "Isso é um absurdo. Na campanha eleitoral, os próprios políticos faziam acusações muito piores uns contra os outros." No entanto, oficialmente, a emissora deu razão aos congressistas: entregou as fitas e emitiu uma nota oficial assumindo a culpa. A nota adiantava que a rede estava "diligenciando no sentido de não se repetirem situações como a que é objeto da justa repulsa do Congresso Nacional neste momento".

Hélio Vargas chegou a ir a Brasília para defender o programa assistindo às fitas com os parlamentares. Funcionou. O processo não foi adiante, os constituintes voltaram sua atenção para a Constituição, mas Hebe foi condenada assim mesmo. Por ordem direta de Silvio Santos, ela perdeu o que mais valorizava em seu programa: a transmissão ao vivo. Para que a emissora se prevenisse de exageros nos comentários da apresentadora ou dos convidados, *Hebe* passou a ser gravado na tarde do dia em que ia ao ar.

"Nos seis anos em que trabalhei com Hebe, esse foi o único pedido que Silvio Santos fez a ela", conta Hélio Vargas. "Mas ela ficou furiosa. No fim, o programa só foi gravado duas ou três vezes. Depois, continuou sendo transmitido ao vivo."

Se ficou realmente furiosa, não foi por muito tempo. Ao relembrar o Caso Hebe no *Roda Viva*, ela não se queixou do SBT. "Se eu disser que no Sistema Brasileiro de Televisão eu sofri, neste ano e meio que estou lá, alguma espécie de pressão pelas minhas atitudes que todo mundo diz que são corajosas, eu estaria mentindo. Não são corajosas, são sinceras. Uma dona de casa comum, se tivesse o veículo que eu tenho, diria a mesma coisa que eu digo. Eu não digo postulando nenhum cargo político, que jamais aceitaria. Eu digo como uma mulher comum, uma mulher que ouve, em qualquer canto que vá, reclamações da dona de casa, da mãe de família. Nunca sofri pressão da emissora."

CAPÍTULO 12

"PRECISAMOS DE VERGONHA NA CARA"

Em 1992, a rotina da Hebe no SBT passou por uma mudança, embora tudo parecesse estar dando certo. O último programa do ano era apresentado em dezembro. Ela tirava férias em janeiro e fevereiro e voltava ao ar em março. O programa semanal era feito ao vivo, às terças-feiras. Começava às 21h15 ou 21h20 e deveria ser transmitido até as onze da noite. Mas Hebe sempre estourava o tempo e frequentemente ficava em cena até a meia-noite. Silvio Santos começou a reclamar e, como a situação permanecia a mesma, resolveu o problema dividindo a atração em duas. O debate ganhou um programa próprio, o *Hebe por Elas*, que ia ao ar às segundas-feiras. O show musical, com o tradicional título *Hebe*, se manteve às terças. O esquema de trabalho piorou. Ela gravava *Hebe por Elas* nas tardes de terça-feira, quase uma semana antes de o programa ser exibido. Depois, esperava no teatro até as 22h30, horário em que entrava no ar ao vivo com o *Hebe*. O que mais a incomodava era a nova duração de cada programa. Silvio Santos separou apenas sessenta minutos para cada um na grade de programação, e Hebe achava pouco. Ela acreditava que, quando o programa começava a esquentar, já estava na hora de se despedir dos telespectadores. Para ela, o ideal seria ter pelo menos meia hora a mais em cada dia.

Hebe expôs publicamente sua insatisfação. "Se eu tirar os comerciais e os merchandisings, sobram apenas 43 minutos para conversar com os convidados", disse ela em entrevista à *Contigo* na edição de 27 de outubro de 1992. "Conclusão: faço papel de idiota, e o artista que vai lá perde tempo porque acaba falando só sobre divulgação de peça, disco, show..." Ela chegou a reclamar com Silvio Santos, pedindo que os dois programas tivessem sua duração aumentada. Mas ele se manteve firme no esquema que criou, justificando que o público não estava mais interessado no tipo de programa que Hebe fazia. "Às vezes, eu penso que está na hora de parar", ela desabafou na entrevista à *Contigo*. Hebe não parou e acatou a decisão de Silvio. Mas começou a se aborrecer com o SBT.

A relação entre ela e a emissora só piorou quando Silvio Santos a procurou, em setembro daquele ano, trazendo boas e más notícias. Uma boa era que o programa repartido iria terminar e voltaria a ser um só. Outra notícia boa: teria duas horas de duração. A notícia má era que ele seria transferido para as tardes de domingo. Pior: não seria mais apresentado ao vivo. Deveria ser gravado nas noites de terça-feira. Hebe foi a arma que Silvio Santos escolheu para combater em seu nome na guerra de audiência dos domingos. Ele não era mais o rei do horário: vinha perdendo audiência desde 1989, quando estreou na Rede Globo o *Domingão do Faustão,* comandado por Fausto Silva. *Hebe* seria transmitido entre as quatro e as seis horas da tarde, competindo diretamente com a atração da Globo.

De certa maneira, era uma volta às origens da apresentadora, que já tinha sido senhora absoluta dos domingos no fim dos anos 1960, quando era exibido seu programa na TV Record. No dia 21 de setembro de 1992 foi gravado o primeiro *Hebe* dominical. Foi um desastre. Hebe entrou em cena vestindo uma calça e uma blusa com estampa de oncinha. "Vim assim porque o Silvio Santos me deixou uma onça", ela justificou. Atrás das câmeras, uma "dália" avisava aos convidados e à própria Hebe: "Hoje é domingo à tarde." Era uma maneira de ninguém se atrapalhar. Ela apresentou a primeira atração musical, a Banda Guanabara. Chamou os comerciais e se preparou para a primeira entrevista do segundo bloco. O convidado era Jô Soares, que estava se recuperando de um acidente de motocicleta. Ela daria de presente para ele uma moto em miniatura. Foi então que chegou o aviso que desestruturou a apresentadora: devido a problemas técnicos, a gravação teria de ser interrompida por trinta minutos. Jô não pôde esperar. Precisava pegar o último voo para o Rio de Janeiro e foi para o aeroporto.

Arrasada, Hebe se trancou no camarim para chorar. "Visualizem um cachorro na chuva, triste e pingando. É assim que eu me sinto", disse ela para quem a procurou. Depois da meia hora prevista, as gravações foram retomadas. Hebe apresentou o grupo Raça Negra, entrevistou os atores Laerte Morrone, Carla Camurati e Marcos Breda, atuou na ação de merchandising que se tornara célebre (quando entornava, de um só gole, uma tulipa inteira de cerveja Antarctica) e deixou um recado para a plateia.

Se, na semana seguinte, os problemas se repetissem, ela deixaria de fazer o programa.

Os problemas não se repetiram, mas o programa de Hebe aos domingos nunca pegou. No fim do ano, Silvio Santos a convocou novamente para comunicar uma nova alteração em seu horário. Hebe voltaria ao horário nobre, agora com um só programa, de noventa minutos de duração e exibido às segundas-feiras. Ela gostou. "Duas horas é muito. Uma hora é pouco. Uma hora e meia é o ponto certo", comemorou.

Duas vezes por semana, domingo à tarde, segunda à noite... Qualquer que fosse o horário do programa de Hebe, havia algo que não mudava. Ela nunca interrompeu as críticas que fazia ao comportamento dos parlamentares em Brasília. O Caso Hebe ou o embate que teve com Ulysses Guimarães praticamente se repetiu com o presidente da Câmara dos Deputados. Mais uma vez foi anunciado que ela seria processada por calúnia e difamação. A Procuradoria Parlamentar da Câmara chegou a calcular a pena a que Hebe seria condenada — oito anos de reclusão — por "ofender a honra" do Congresso Nacional.

A suposta ofensa aconteceu em 7 de março de 1994. Hebe estava voltando de férias. Nos últimos tempos, ela vinha acostumando o público a esperar por algo inusitado no primeiro programa do ano. Sempre exibia uma roupa surpreendente, um penteado inesperado, fazia uma performance exuberante. Era divertido e transformava o retorno da apresentadora, a cada ano, em notícia de jornal. Em 1993, por exemplo, o programa da volta foi marcado por uma crítica ao comportamento dos roqueiros estrangeiros em suas turnês pelo Brasil. Dublando um sucesso dos Red Hot Chilli Peppers ("Give it Away"), Hebe chegou ao palco usando óculos espelhados, uma peruca loura, comprida e desalinhada, uma calça coberta de retalhos e um adesivo na barriga que se fingia de tatuagem. Lembrando o dia em que Axl Rose jogou cadeiras nos repórteres que o esperavam no saguão do hotel Maksoud Plaza, Hebe jogou cadeiras e uma guitarra de isopor na plateia. No primeiro programa de 1995, ela entrou em cena com um vestido preto que ia até os tornozelos e um véu de renda também preto. "Estou de luto", comunicou ao público, ironizando os parlamentares que, na semana anterior, em Brasília, tinham aprovado um aumento salarial para eles mesmos.

Naquele 7 de março de 1994, os convidados eram o ator Guilherme Fontes, a atriz Lúcia Veríssimo e a comediante Dercy Gonçalves. No debate seriam discutidos temas do momento, como a foto, feita no Carnaval carioca, da vedete Lilian Ramos sem calcinha no camarote do presidente Itamar Franco, e a polêmica provocada pela cantora Gal Costa, que estava se apresentando com os seios à mostra no show "O sorriso do gato de Alice". Seria feito ainda um concurso para eleger o melhor sósia do presidente Itamar. Faltava a surpresa. Hebe resolveu abrir o programa falando dos Anões do Orçamento, como ficaram conhecidos os parlamentares acusados, em recente e barulhenta Comissão Parlamentar de Inquérito, de gastar de forma fraudulenta o orçamento da União.

A entrada da apresentadora foi impactante. Com oito garotas no fundo do palco segurando a bandeira nacional e a orquestra tocando "Alegria, alegria", de Caetano Veloso, Hebe apareceu com o rosto pintado de verde e amarelo, como os jovens que foram às ruas, um ano e meio antes, pedindo o impeachment do presidente Fernando Collor de Mello. De cara pintada, Hebe criticou a demora na punição dos deputados acusados.

"Sete de março de 1994. Os brasileiros mais uma vez se sentem enganados pela classe política. Ninguém foi incomodado e continuam gastando os milhões usurpados da população. Anões de todos os tamanhos tramam nos corredores do Congresso a melhor maneira de se safar das acusações e continuar no poder. Outros políticos silenciosamente consentem. E o povo indefeso assiste. Eu tenho vergonha de possuir um título de eleitor e ser obrigada a votar. Eu tenho raiva de tanta desfaçatez e dó da indignação que embaça os olhos dos brasileiros. Até quando, meu Deus, vamos viver tanta bandalheira e lama? Chega de impunidade! Precisamos de vergonha na cara."

As críticas continuaram quando Hebe passou a entrevistar Dercy. "Não há dinheiro que chegue", a comediante disse. "E esses caras estão aí, na maior indignidade. Não pode. Tem que arrebentar a cara desses deputados todos. Senador e ministro estão todos no mesmo embrulho. A gente não sabe quem é o bom porque estão todos na mesma panela."

A repercussão foi enorme. O então procurador parlamentar da Câmara, deputado Vital do Rêgo, resolveu não processar Dercy por causa da idade. Ela estava com 82 anos. Mas Hebe, aos 65, foi ameaçada com duas representações feitas por ele. Uma era baseada na Lei de Imprensa (crimes de calúnia, difamação e injúria); a outra, na Lei de Segurança Nacional (crime de incitação contra um poder da União). Não houve representação alguma contra o SBT. "Nós queremos desvincular a Hebe do SBT", explicou o então presidente da Câmara dos Deputados, Inocêncio de Oliveira. "O objetivo é a apresentadora."

Pela segunda vez, Hebe foi tema de discursos na Câmara. "Quem prega contra o fechamento do Congresso Nacional atenta contra a Constituição", Inocêncio acusou. Na mesma sessão em que era homenageado o Dia Internacional da Mulher (8 de março, data do aniversário da Hebe), o deputado paulista Liberato Caboclo comparou a apresentadora às prostitutas do bairro da Lapa, no Rio de Janeiro. Ele disse que os deputados "não se sentiram nem um pouquinho ofendidos por serem xingados ou enxovalhados porque todos nós, ao passarmos na Lapa, quantas vezes fomos xingados por este tipo de mulher, quando não cedemos aos seus anseios". O deputado mineiro Aloisio Vasconcelos subiu à tribuna para chamar Hebe de "invejosa, enciumada e despeitada".

A intenção do presidente Inocêncio de Oliveira de processar Hebe se tornou o principal assunto dos jornais nas seções de cartas de leitores. A quase totalidade delas denunciava o ridículo da ação e se solidarizava com Hebe. Uma semana depois da sessão na Câmara, o escritor Ignácio de Loyola Brandão publicou uma crônica em *O Estado de S. Paulo* dedicada à polêmica. "A loira-mor da tevê disse o que o Brasil inteiro está cansado de saber", ele escreveu, "que há uns cem bons parlamentares sérios, dedicados, dando o sangue, mas que há também um bando de vagabundos que jamais compareçem às sessões e, quando comparecem, é para votar, por exemplo, o perdão à dívida de usineiros". Mais adiante, o escritor definiu a função dos editoriais da apresentadora. "Hebe Camargo, esta unanimidade nacional, é uma espécie de voz do povo na tevê. Ela é um filtro, diz aquilo que o brasileiro pensa, mas não tem onde botar para fora. Enquanto a maioria desabafa em conversas de portão, bancos de praça, papos de café, a Hebe joga no ar, em cadeia nacional." E finalizou com um apoio explícito à apresentadora. "Se for preciso, iremos às ruas com as caras pintadas para te defender, Hebe".

Na segunda-feira seguinte, Hebe usou seu programa para uma meia retratação, explicando que sua indignação não era contra a instituição do Congresso. "Não se pode confundir alguns maus deputados e senadores com o próprio Congresso", declarou. "É contra estes que me revolto. Há deputados que são gazeteiros, que não comparecem às sessões, e acabam atrapalhando quem deseja mudar o Brasil." Em seguida, exibiu uma foto do plenário do Congresso inteiramente vazio, tirada durante a sessão de três dias antes. "Essa imagem é a melhor maneira de eu me defender", acrescentou. O auditório a aplaudiu de pé. Naquele dia, *Hebe* deu 15 pontos de audiência no Ibope. Uma semana antes, tinha registrado nove.

Para o deputado Inocêncio de Oliveira, a meia retratação da Hebe valeu por uma retratação inteira. O parlamentar desistiu de processá-la. "Ela manteve as críticas aos deputados faltosos, que ela considera canalhas e vagabundos. Esta gente eu não vou defender. Aqueles que vestirem a carapuça que processem a apresentadora." Ninguém processou.

Hebe soube que não seria mais processada durante a gravação de uma entrevista no programa de Jô Soares, também no SBT. Chegou a chorar, emocionada, quando a plateia reagiu com aplausos ao ouvir a informação pelo apresentador. Mas não deixou de dar uma última estocada em Inocêncio, quando soube que o deputado tinha aceitado sua retratação. "Eu não me retratei porque não tinha do que me retratar. É que eles não veem as coisas, só ouvem falar. Em nenhum momento eu pedi o fechamento do Congresso. Não seria tão ignorante assim."

No ano seguinte, Hebe comprou nova briga com o mundo de Brasília. No programa de 13 de fevereiro de 1995, ela saudou a reabertura dos trabalhos no Congresso oferecendo um bolo para os parlamentares. O bolo era artificial, enfeitado com as cores verde e amarela. Nele estavam pousadas oito moscas de plástico.

Cada mosca media dez centímetros de comprimento e trazia uma placa de identificação. Os insetos identificados eram o presidente do Senado, José Sarney, os deputados Inocêncio de Oliveira, Ibrahim Abi-Ackel, José Carlos Aleluia e Roberto Jefferson e, os senadores Humberto Lucena, Hernandes Amorim e Antônio Carlos Magalhães. Enquanto a câmera dava um close em cada mosca, Hebe dizia: "O bolo é novo. É bem fresquinho. Mas as moscas são as mesmas."

Desta vez não houve ameaça do Congresso nem discursos da tribuna. As "moscas" reagiram somente em entrevistas. "Não cheguei ao suprassumo do mau gosto que é assistir aos programas dessa senhora", disse o deputado Ibrahim Abi-Ackel. A reação mais violenta veio da própria direção do SBT. Um memorando foi distribuído a todos os funcionários declarando que "liberdade de expressão deve ser precedida por independência ideológica e responsabilidade". Como consequência, mais uma vez o programa da Hebe deixou de ser transmitido ao vivo e passou a ser gravado três horas antes de ir ao ar. Outra "mosca", o deputado José Carlos Aleluia, concordou com a medida: "A atitude do SBT, censurando o que é ruim na programação, é louvável e uma prova de maturidade." À Hebe só restou ser elegante: "Fiquei imaginando qual seria a mosquinha poderosa que conseguiu fazer isso."

No entanto, de todas as trapalhadas políticas nas quais Hebe se meteu, nenhuma marcou mais a sua trajetória do que a amizade com Paulo Maluf. Político cuja carreira ficou identificada, na melhor das hipóteses, com a extrema direita e, na pior, com a corrupção, Maluf sempre pôde contar com Hebe como seu cabo eleitoral. Ela nunca deixou de elogiá-lo em seus programas, nunca escondeu que votava nele em todas as eleições que disputou, aceitava participar de suas campanhas na propaganda eleitoral gratuita na TV e não tinha vergonha de angariar votos para ele nos lugares que mais frequentava em São Paulo: o salão de cabeleireiros Colonial e os restaurantes dos Jardins.

Maluf encontrou-se com Hebe pela primeira vez no dia 21 de junho de 1967. Foi essa a data na qual ela gravou, para seu programa na TV Record, uma entrevista com o novo presidente da Caixa Econômica Federal. "Foi o começo de uma amizade muito intensa, até o dia da morte dela."

Não foi bem assim. Nos últimos anos de vida, Hebe não quis mais se comprometer com apoios políticos e, quando Maluf solicitou que ela colaborasse com sua campanha para eleger-se governador de São Paulo em 2002, Hebe disse não. Maluf não reagiu bem: afastou-se da apresentadora, que, decepcionada, passou a acreditar que ele não era um amigo verdadeiro, e que se mantinha a seu lado por puro interesse.

Até esse episódio, a amizade entre Hebe e Maluf foi mesmo intensa. Os dois tinham amigos em comum. Um dos filhos de Labibi Alves da Silva, uma das melhores amigas de Hebe, casou-se com uma filha de Maluf, o que uniu as três famílias.

Depois do casamento de Hebe com Lélio Ravagnani, os laços de amizade ficaram ainda mais fortes. "O Lélio era um malufista de quatro costados", Maluf define. Hebe apoiou Maluf até mesmo em eleições indiretas. Na primeira eleição após o regime militar, ainda sem o voto popular, ele foi o candidato da Arena contra Tancredo Neves, do MDB. Matematicamente, não tinha chances. Mesmo assim, um mês antes das eleições, Hebe deu um jantar para quinhentas pessoas em sua casa em homenagem ao candidato. "Quando me criticavam, ela ficava louca da vida", Maluf revela.

"Só não gosto de quem está em cima do muro e desce quando vislumbra o vencedor. Todos os partidos estão lutando por um país melhor, e quem viaja pelo Brasil sabe que jamais vivemos fase de tanto desespero, desemprego, falta de saúde e educação", ela declarou ao anunciar seu apoio à candidatura dele à presidência. "Vou a Brasília perguntar ao doutor Paulo o que ele pretende fazer para aproveitar o potencial de uma terra tão rica, viável e hoje tão sofrida. Optei por sua candidatura por ver em Maluf um trabalhador incansável, idealista, sabendo ao longo da vida onde queria chegar."

Quando concorreu à prefeitura de São Paulo em 1988, Maluf convidou Hebe para ser candidata a vice-prefeita em sua chapa. Ela não aceitou, mas participou da campanha oferecendo ao amigo uma feijoada para cinquenta pessoas no restaurante Dinho's Place. Da lista de convidados faziam parte o então presidente da Assembleia Legislativa do Estado, Antônio Sampaio, o ex-presidente da Embratur, Miguel Colasuonno, e o cantor Agnaldo Rayol. Hebe podia contar com Agnaldo até para campanhas políticas.

O malufismo de Hebe a fez comprar algumas brigas. Alguns artistas se recusaram a comparecer a seu programa. O mais famoso atrito aconteceu com a cantora Fafá de Belém. Intérprete oficial do Hino Nacional em palanques da oposição durante a ditadura militar, musa da campanha pelas eleições diretas e comprometida com políticos de esquerda, Fafá começou a ser citada por Hebe em entrevistas como exemplo de contradição. Ela acusava a cantora de falar mal de Maluf no Brasil, mas garantia ter testemunhado um almoço dos dois em Paris.

Numa entrevista ao "Caderno 2", do jornal *O Estado de S. Paulo*, realizada em 1986, Hebe explicou seu compromisso com Maluf. "Sou uma pessoa muito coerente. Gosto dele porque acompanhei sua carreira política, além de sermos amigos da família toda", disse ela. "E também acho que ele foi uma pessoa coerente a vida toda. Ele não esconde o jogo. Nunca disse 'se me convidarem, eu serei candidato à Presidência da República'. Ele dizia: 'Sou candidato à Presidência da República.'" Em seguida, deu uma estocada em Fafá: "Eu nunca fiz propaganda por ser malufista, nunca critiquei político nenhum por ser contra Maluf. Mas, de repente, eu vejo pessoas que estiveram em palanque fazendo campanha, mandando Maluf para o xadrez — mas no exterior vão almoçar junto com o Maluf. Este tipo de comportamento eu nunca tive."

Fafá se defende. "Eu nunca recusei convite algum para ir ao programa da Hebe." E relata o que aconteceu em Paris. Por coincidência, todos pegaram o mesmo avião para passar alguns dias na capital francesa. Dividiram a cabine da primeira classe Paulo Maluf e sua mulher, Sílvia, Hebe e o marido, Lélio, Fafá e sua empresária na época, Ana Sabugosa. Fafá diz que Hebe a cumprimentou friamente no avião, e não se aproximou durante toda a viagem. Ela estranhou. Hebe e Maluf se hospedaram no Plaza Athénée, o hotel mais caro da cidade. Fafá ficou em outro, mais barato, mas na mesma redondeza.

Uma tarde, quando almoçava com Ana no Bar des Théâtres, também na mesma região, Fafá viu Maluf passando pela calçada. Ela disse para Ana: "Só falta o Maluf entrar para me cumprimentar." Maluf conta que, da calçada, fez uma leitura labial das palavras de Fafá. E entrou para cumprimentá-la. "Sou político, e políticos não têm inimigos", diz ele. Enquanto todos se davam as mãos, constrangidos, Hebe passou na rua e, vendo o grupo em clima de confraternização, concluiu que todos dividiam a mesa do almoço. Não perdoou Fafá. "Incoerente", disparou. Nem Maluf. "Traidor", acusou. E sempre dava um jeito, nas entrevistas posteriores, de falar do suposto almoço que os dois tiveram em Paris.

Fafá acrescenta um episódio que ainda não tinha entrado na história. Algumas noites depois do encontro no Bar des Théâtres, ela e Ana estavam, debaixo de chuva, em frente ao Plaza Athénée, esperando um táxi, quando Maluf apareceu. Convenceu-as de que a chuva não passaria tão cedo, que táxis não apareceriam e que elas podiam juntar-se a ele e a Sílvia para jantar no hotel. Fafá topou. "Eu nunca almocei com Maluf em Paris, mas jantei com ele. E Hebe nunca soube disso", Fafá revela, às gargalhadas.

CAPÍTULO 13

"XUXA, EU SOU VOCÊ AMANHÃ"

Em 1989, a coluna de maior sucesso na imprensa do Rio de Janeiro era o Perfil do Consumidor, publicada às sextas-feiras no *Jornal do Brasil*. A cidade inteira lia os hábitos de consumo dos famosos. Havia uma fila de personalidades aguardando para serem entrevistadas por Elisabeth Orsini, a repórter do "Caderno B" que assinava a seção. Todo mundo queria sair no Perfil do Consumidor. Na edição de 24 de junho, Hebe Camargo foi o destaque.

Perfume — Atualmente usa Paris, de Yves Saint Laurent
Desodorante — Água e sabão ("Para mim, é suficiente")
Esmalte — Sempre claro ("De preferência, branco")
Roupas para o programa — Eugenia Fleury ("Por incrível que pareça, compro as roupas que visto no meu programa. Se fossem emprestadas, eu não teria a opção de escolher, e elas fazem parte do contexto do assunto programado. Se o clima é de festa,

a roupa é chamativa. Se o clima é de seriedade, o traje tem que ser discreto.")
Sapatos — Charles Jourdan e todos do tipo italiano clássico ("Tenho mania de sapatos. Nem sei quantos tenho. Agora, por exemplo, devem chegar aos trezentos. A maior parte deles de saltos finos e altos.")
Óculos escuros — Apesar de raramente usar óculos escuros, gosta tanto que tem duas gavetas cheias ("Acho que é porque gosto que as pessoas me vejam. Nunca entendi o artista que luta para ser popular e depois começa a se esconder. Curto muito as manifestações de carinho que recebo e procuro retribuir na medida do possível.")
Símbolo sexual — Antônio Fagundes ("Sem ser bonito, tem muito charme.")
Tara — Por praia ("Pareço uma criança quando vejo o mar. Pulo, mergulho, corro, fico fascinada.")
Homem bonito — Fábio Júnior
Homem inteligente — Jânio Quadros ("Ele derruba a gente falando.")
Mulher bonita — Maitê Proença ("É um colírio para os olhos.")
Mulher inteligente — Lygia Fagundes Telles ("Inteligente e culta.")
Bebida — Vodca, champanhe e cerveja
Comida preferida — Pernil de vitela com arroz
Filme — *Em algum lugar do passado* ("Principalmente pela trilha sonora. De vez em quando coloco o disco e até hoje me emociono.")
Frase — Só se valoriza o bem possuído depois de tê-lo perdido ("Minha mãe dizia sempre esta frase.")

"XUXA, EU SOU VOCÊ AMANHÃ"

Esse tipo de reportagem mostrava que não era só a política que animava o palco do Teatro Silvio Santos quando Hebe entrava no ar. A noite mais movimentada de todas, por sinal, pouco teve a ver com o que acontecia em Brasília. Foi numa terça-feira, durante a temporada de 1989. As trezentas poltronas do auditório não deram conta de acomodar todos os interessados em assistir ao programa. Às cinco da manhã, uma fila já se formava na porta do teatro. Quando o público começou a entrar, foi preciso colocar 150 cadeiras extras. Outras 150 pessoas entraram e ficaram de pé. Eram seiscentos espectadores dentro do teatro, o dobro de uma lotação esgotada. Para que os mais de dois mil que ficaram do lado de fora pudessem assistir à atração, ali foi instalado um telão. Ninguém arredou pé, mesmo enfrentando uma temperatura de 14 graus. No auditório, ansiedade; na rua, corre-corre, babado, confusão, gritaria. Os 15 seguranças do SBT não conseguiram conter os mais exaltados, e a emissora teve de pedir ajuda à Polícia Militar, que enviou oitenta homens, vinte policiais femininas e três carros da Divisão do Sistema Viário. Para ficar claro que não era uma convocação comum, alguns policiais compareceram com os filhos. Naquela noite, Hebe recebeu uma convidada para lá de especial: Xuxa Meneghel.

A apresentadora Xuxa era o maior ídolo da televisão brasileira. Contratada da TV Globo desde 1986 e dona de uma das maiores audiências da emissora — que tinha no SBT o seu principal concorrente —, a moça vivia o auge da carreira. Com 26 anos, estava lançando um disco (*Xou da Xuxa 4*) que já chegava ao mercado com dois milhões de cópias vendidas. Seu álbum anterior, o *Xou da Xuxa 3*, tinha vendido três milhões. Xuxa vendia mais que Roberto Carlos, e a Globo pagava alto para tê-la como artista exclusiva. Por isso mesmo, não gostava que sua menina de ouro se apresentasse em outros canais de televisão.

Hebe vinha, desde sua estreia no SBT, pedindo para entrevistar Xuxa em seu programa. Xuxa pedia para ser liberada havia pelo menos um ano. O vice-presidente de operações da Globo, José Bonifácio de Oliveira Sobrinho, o Boni, passou esse tempo todo vetando a presença de sua artista exclusiva na emissora rival. Parecia que o encontro das duas louras mais famosas da TV nunca iria acontecer.

Naquele ano de 1989, porém, Boni baixou a guarda. Temendo que mais uma recusa pudesse prejudicar as negociações para a renovação do contrato de Xuxa, ele autorizou a apresentação da estrela na tela do SBT. Xuxa iria ao ar no mesmo horário em que a Globo exibiria o humorístico *TV Pirata*. Boni exigiu apenas que a estação de Silvio Santos não fizesse chamadas anunciando Xuxa como atração do show da Hebe.

As duas tinham se conhecido sete anos antes, numa boate paulistana. Xuxa e Pelé — namorados na época — estavam jantando, e Hebe e Lélio ocupavam a pista de dança. "Ela ficou mais de uma hora dançando sem parar", Xuxa se lembra. "Desde aquele dia, eu sempre quis ser um pouco Hebe." E Hebe passou a lhe dizer quando a encontrava: "Eu sou você amanhã."

Hebe e Xuxa se encontrariam muitas outras vezes. "Ela não queria que eu ficasse sozinha. Este era o maior conselho dela", Xuxa diz. "E, quando me via na televisão, no dia seguinte me telefonava para comentar que eu estava com a roupa errada. Ou então dizia: 'Te achei triste. O que aconteceu contigo? O que é que eu posso fazer para te ajudar?' Se lia alguma coisa sobre a minha vida nos jornais, me ligava também para dizer que eu estava com o namorado errado. Ela tinha um carinho absurdo por mim."

Um pouco desse carinho ficou evidente no programa que atraiu tanta gente ao Teatro Silvio Santos. Hebe entrou em cena usando minissaia preta, botas pretas e colete de veludo. Estava fantasiada de Xuxa. Na companhia de oito bailarinos musculosos, participou da coreografia de um dos sucessos musicais da homenageada.

Logo depois, anunciou a presença da estrela da noite. Houve mais dois convidados naquela edição, os cantores Fábio Júnior e Patrícia, mas quase toda a atração foi dedicada a Xuxa, que cantou "Ilariê" e ajudou Hebe a fazer seu merchandising tradicional, gritando "Vira, vira" enquanto a apresentadora entornava sua tulipa de cerveja. As duas não pararam de conversar nem mesmo durante os outros números musicais. Fábio Júnior brincou de roda com as Paquitas, as bailarinas que acompanhavam Xuxa em suas apresentações. Crianças que estavam no auditório mais de uma vez invadiram o palco para abraçá-la.

Xuxa conta que se sentiu confortável no sofá: "Ela sabia ouvir. Isso era uma coisa muito gostosa. Ela sabia conduzir as entrevistas porque sabia ouvir muito. Ela fazia você realmente se sentir no sofá de casa." No meio do programa, Hebe tirou do pulso uma pulseira de ouro e brilhantes e deu para Xuxa. "Esta pulseira sempre me deu sorte", disse. "Agora quero que dê sorte para você."

Na apoteose, Xuxa foi levada, nos ombros de um segurança, até o meio do auditório, seguida em fila indiana pela Hebe e pelas Paquitas. O público delirou. No dia seguinte, Boni e Xuxa se encontraram na Globo. Ele tinha nas mãos os índices de audiência da véspera. O *TV Pirata* tinha perdido para *Hebe*. "A Globo foi derrotada por duas louras e um sofá", Boni disse a Xuxa. "E uma das louras era minha."

A temporada de 1989 foi mesmo marcada por eventos inusitados na trajetória da Hebe. Foi nesse ano, por exemplo, que ela aceitou o convite de uma companhia aérea, reuniu sua equipe e foi gravar um especial em Moscou. Os ventos da abertura já estavam por lá, mas o país ainda se chamava União Soviética. Até então, não era muito comum ver imagens de Moscou na programação televisiva brasileira. Com o próprio diretor Hélio Vargas operando a câmera, imagens da Hebe pela cidade se revezaram com atrações turísticas. Ela se orgulhou de mostrar pela primeira vez na televisão brasileira a fachada da KGB, o comitê de segurança nacional. Mostrou também a Praça Vermelha e a Igreja de São Basílio.

"De repente, não mais que de repente, eu, Hebe Camargo, me vi em Moscou", ela declarou, na abertura do programa, gravada numa das salas de edição do SBT. As imagens da cidade tinham como fundo a voz da Hebe em off. "Ideologias à parte, Moscou é uma cidade marcada por atividades culturais", era a dica para uma entrevista com a primeira bailarina do Teatro Bolshoi. O merchandising da cerveja foi feito na sala de edição, com Hebe brindando ao escritor russo Anatoli Ribakov, outro entrevistado daquela edição, que, segundo a descrição da apresentadora, era "uma graça de pessoa".

O especial em Moscou mostrou duas faces da artista. Como locutora de um texto convencional, ela não rendia tanto quanto a Hebe espontânea flagrada nas ruas de Moscou. A primeira

Hebe, mais sem graça, dizia pérolas da cultura inútil, como "o mausoléu de Lenin foi construído em 1930". A outra, irresistível, aparecia dançando ao lado de um músico de rua que cantava "Rock around The Clock", fazia perguntas inesperadas a pedestres que surgiam à sua frente ("O que vocês estão achando da Perestroika?") e descrevia com franqueza singular um dos hábitos mais arraigados da cidade: "Tudo tem fila. Achei uma bonitinha, entrei, era uma fila para comprar tecidos. Não estou muito interessada em comprar tecidos. Saí."

Com erros e acertos, o especial em Moscou entrou para a história de *Hebe* por ter sido o momento em que a entusiasmada eleitora de Paulo Maluf e integrante da Marcha da Família com Deus pela Liberdade repetiu a frase inscrita na estátua de Karl Marx que fica na praça em frente ao Bolshoi: "Proletários de todos os países, uni-vos!"

Houve ainda o programa em que Hebe se exibiu como exímia dançarina de lambada, o ritmo paraense que mais tocava no país. Conduzida por um bailarino, ela era puxada para cima, levada para baixo, rebolava. Uma agilidade inacreditável para quem estava chegando aos 60 anos. A movimentação era filmada de longe, o que fazia o espectador se perguntar se era ela mesmo que se exibia. Mas, de vez em quando, a câmera se aproximava e não deixava dúvida de que a bailarina elástica era Hebe. Na verdade, os planos em que ela podia ser reconhecida, sem muitas firulas coreográficas, haviam sido gravados à tarde. Ao vivo, uma bailarina profissional da mesma altura da apresentadora, usando a mesma roupa e com uma peruca que imitava seu penteado, fazia os movimentos mais difíceis. A edição deu a impressão de que se tratava da Hebe o tempo todo. Ela deixou a dúvida no ar e só esclareceu o truque no programa seguinte. Durante uma semana, a apresentadora foi considerada a melhor dançarina de lambada do Brasil.

Outro programa emocionante foi o de 29 de junho de 1993. Aproveitando que era Dia de São Pedro, Hebe promoveu uma festa junina no palco. Uma quadrilha de celebridades se exibiu, mas o ponto alto da noite foi a aparição de uma antiga dupla caipira, Rosalinda e Florisbela. Vestidas a caráter, Hebe e sua irmã Stela reviveram os tempos em que cantavam música sertaneja no *Arraiá da Curva Torta*, na Rádio Difusora. Elas interpretaram "Pinho sofredor", do repertório de Tonico e Tinoco e de autoria do pai, Fego Camargo. Como costumava acontecer quase cinquenta anos antes, Hebe fazia a segunda voz. A apresentadora terminou o número emocionada. Mais tarde, explicou: "Chorei de saudade."

> *O meu pinho sofredor*
> *Chora sem consolação*
> *Tu que és madeira chora*
> *Que fará meu coração?*

A década de 1990 foi a melhor fase de Hebe no SBT. No programa de 5 de agosto de 1997, uma das convidadas lançou um costume que se tornou uma tradição. A cantora Rita Lee entrou em cena e, ao cumprimentar a apresentadora, deu-lhe um inesperado beijo na boca. Foi um daqueles momentos que Hebe tanto valorizava. Sem ensaio, sem combinação, uma surpresa captada pela TV ao vivo. "Uma delícia", Hebe disse, no dia seguinte, ao jornal *Folha da Tarde*. "Ela está gostosíssima." A partir daí, passou a ser um privilégio para os convidados receber um selinho da Hebe. Eles pediam, ou ela oferecia espontaneamente. O certo é que um entrevistado que recebesse um "selinho" entrava para uma galeria de convidados especiais, aqueles que tinham merecido a honraria. Assim como o "que gracinha", lançado nos tempos da TV Record, o comentário "lindo de viver", que ela criou já no SBT, além do hábito de acarinhar os entrevistados passando a mão no rosto deles, o "selinho" virou sua marca registrada.

No entanto, o sucesso com o público não se refletia em suas relações com a direção da emissora. As constantes alterações no horário de exibição do programa e as punições que a impediam de se apresentar ao vivo quando seus editoriais aborreciam os parlamentares de Brasília garantiam o suspense quando era preciso renovar o contrato da Hebe. "Sempre deixei claro que detesto gravar", ela declarou em 1995, época em que foi censurada pela emissora por exibir o bolo coberto de moscas. "Gosto mesmo é do imprevisível, do inesperado e das surpresas que fatalmente acontecem nos programas ao vivo. Preciso trabalhar assim para estar feliz e passar alegria para o meu público."

Hebe começou a expor ao público sua insatisfação com as decisões do SBT. Ela abriu o programa seguinte ao do bolo com moscas declamando versos infantis.

> *"Batatinha quando nasce*
> *Se esparrama pelo chão*
> *A menina quando dorme*
> *Põe a mão no coração"*

Em seguida, virou-se para a câmera 3 — era sempre a câmera 3 que registrava seus editoriais — e desabafou: "Tirem suas conclusões. Pensem o que vocês quiserem." A punição durou pouco mais de um mês, período em que o programa foi gravado. No dia 3 de abril, Hebe estava de volta do jeito que gostava, ao vivo, celebrando os trezentos anos da morte de Zumbi dos Palmares. As entrevistadas da noite foram a cantora e compositora Leci Brandão e a senadora Benedita da Silva, e o show musical foi da dupla sertaneja Leandro e Leonardo, que festejavam dez anos de carreira. "Nunca proibimos Hebe de fazer coisa alguma", Luciano Callegari disse na ocasião. "Apenas fizemos um alerta para evitar excessos. Temos que ter limites. Agir com ética. Mas é claro que fazemos questão de mantê-la conosco."

Em 1993, Hebe recebeu um presente de Natal que representaria o começo de uma nova guinada em sua vida profissional. Ela continuava sem cantar desde o episódio na TV Tupi, em 1974, quando o diretor Wilton Franco, pelo ponto eletrônico, criticou sua performance musical. Com o tempo, Hebe chegou a se esquecer de que era cantora. Seu último disco tinha chegado às lojas em 1966. Muitos admiradores seus nem sabiam dessa sua faceta. Ela começou a dar entrevistas dizendo que sua grande frustração era "não ter sido cantora". Em reportagem publicada na revista *Visão*, em 1989, foi mais explícita sobre o assunto: "Tenho uma tristeza infinita de não poder mais cantar. Como parei muito tempo, a respiração fica falha, a voz não responde como deveria, há dificuldade para decorar as letras..." Mas aí veio o presente de Natal.

No Rio, Marcelo Castello Branco estava assumindo a presidência da gravadora Universal Music. Nos seus primeiros dias na empresa, revirando os arquivos da companhia, ele encontrou vários fonogramas com a voz de Hebe, produzidos para os três discos que ela gravara na Polydor — *Hebe e vocês*, *Hebe e Hebe 65* — e que agora faziam parte do acervo da Universal. O executivo resolveu tratá-los digitalmente e mandá-los de presente para a apresentadora, que adorou a surpresa. De algumas canções ela nem se lembrava mais. Hebe passou a ouvi-las enquanto andava por São Paulo em sua Mercedes Benz branca, e gostava de mostrá-las para os amigos. Diante da felicidade da artista, Castello Branco decidiu relançar aquelas gravações. A própria Hebe selecionou 14 músicas do repertório, que se transformaram num CD de maiores sucessos, em 1995.

O disco recebeu uma avaliação positiva na revista *IstoÉ*. "Hebe cantava bem", escreveu o crítico Apoenan Rodrigues. "Alcançava notas altas e tinha uma extensão de voz que competia com o estilo das melhores cantoras da sua época. O disco de Hebe Camargo não causa curiosidade apenas por ser marca da diva da televisão. Traz canções românticas que, pela qualidade, não ficaram defasadas."

A boa receptividade dos "maiores sucessos" levou Hebe a aceitar a ideia seguinte da Universal. E se ela gravasse um disco novo? Em 1997, 31 anos depois de seu último lançamento, ela voltou a um estúdio de gravação. Inicialmente, foi só para atender ao pedido de um amigo, o novo empresário de Agnaldo Rayol, Luiz Oscar Niemeyer, que havia proposto ao cantor o lançamento de um disco "digno". Para tanto, chamou um dos mais conceituados produtores do mercado, José Milton. Foi José Milton quem deu a Agnaldo a ideia de dividir uma das faixas com um artista convidado. O cantor só pensou em um nome: Hebe Camargo. Foi desse jeito que "Serenata do adeus", de Vinicius de Moraes, tornou-se a primeira gravação da cantora desde

1966 — em dueto com Agnaldo. Vencido o medo de enfrentar um estúdio novamente, ela já podia aceitar a ideia da Universal de lançar um novo trabalho.

Perto de comemorar o 69º aniversário, Hebe estava escolhendo o repertório. Mas, naquele 1998, não ganhou a festa tradicional que Lélio oferecia todos os anos na casa do Morumbi. Os negócios do marido não iam bem. A responsabilidade foi então transferida para o casal de amigos Labibi e Edvaldo Alves da Silva, que abriram sua mansão no mesmo bairro para os convidados de Hebe. De acordo com as colunas sociais, o custo total do evento chegou a quatrocentos mil reais. Com música ao vivo a cargo da banda Nautilus, a festa, para 250 pessoas, exigia traje black tie e oferecia um bufê que misturava costeleta de cordeiro, camarão à chinesa com amêndoas e pene com vitela, além de trinta quilos de bacalhau e vinte de sorvete e marrom-glacê, tudo devidamente registrado pela revista *Caras*. A lista de convidados era uma mistura de artistas, políticos e integrantes da alta sociedade paulista: Nair Bello, Rosinha Goldfarb, Lolita Rodrigues, Helena Mottin, José Ermírio de Moraes Filho, Marília Gabriela, Paulo Maluf, Wanderléa, o então prefeito Celso Pitta, o empresário Eron Alves de Oliveira e o médico Roger Abdelmassih faziam parte da lista. "Festa boa é assim mesmo, vem todo mundo", Hebe definiu. "Já passamos dezenas de aniversários juntos, desde os simplórios, com bolinhos de pão de ló, até este, majestoso", Lolita Rodrigues contou. A amiga ainda elogiou a aniversariante: "A Hebe é um símbolo para atrizes de minha geração. Ela é uma vitoriosa." Vestindo um Azzaro preto de veludo e exibindo um conjunto de colar e brincos de diamantes, Hebe ganhou de presente do marido um cheque em branco que nunca foi descontado.

A certa altura, subiu ao palco e, acompanhada pela banda, cantou ao lado de... Agnaldo Rayol. É claro que ele estava lá. Mas naquela noite havia outra pessoa muito especial entre os convidados. Ali estavam Roberto Carlos e sua mulher, Maria Rita. Hebe assumia ser apaixonada pelo Rei, nunca deixou de falar dele em seus programas, e chegava a viajar apenas para assistir a seus shows. Na casa de Labibi e Edvaldo, declarou essa paixão recebendo o convidado ilustre ajoelhada a seus pés. Diante do Rei, os outros convidados, usando longos grifados e smokings, gritavam "Canta! Canta!". Hebe tentou impedir: ele estava ali como amigo, não como cantor famoso. Mas Roberto, presença rara em acontecimentos sociais, não se fez de rogado. Juntou-se à banda Nautilus e interpretou "Emoções". Ao final da apresentação, Hebe deu a ele uma rosa vermelha.

Parecia um balanço de vida e de carreira. Uma festa que reunia amigos do passado a outros mais recentes. Uma festa na qual a música foi o assunto principal. E era um balanço mesmo. Hebe estava ansiosa para gravar seu novo disco. "É como começar de novo", declarou à *Caras* no dia seguinte. "E estou com a mesma energia do passado, mas agora muito mais experiente."

CAPÍTULO 14

"NUNCA CONSEGUI GANHAR TANTO DINHEIRO"

Ao mesmo tempo em que planejava seu retorno à carreira musical, naquele 1989 Hebe cuidava de outro interesse que iria se transformar num dos mais importantes programas sociais da televisão brasileira. Sensibilizada com o trabalho da Associação de Assistência à Criança Deficiente (AACD), Hebe sugeriu a Silvio Santos que lançasse uma campanha de arrecadação de fundos para a entidade. Seria algo parecido com o que o comediante americano Jerry Lewis realizava anualmente. Lewis tinha um filho deficiente físico e convivia com outros pais na mesma situação e que não tinham recursos para custear o tratamento das crianças. Uma vez por ano, desde 1966, no domingo que antecedia o Dia do Trabalho (nos Estados Unidos, o feriado é na primeira segunda-feira de setembro), ele apresentava, diretamente de Las Vegas, um show que durava quase 24 horas, era televisionado para todo o país e estimulava os espectadores a fazerem doações para a Muscular Dystrophy Association (MDA). O programa ficou conhecido como *The Jerry Lewis MDA Labor Day Telethon* e foi ao ar até 2010.

Hebe propunha algo semelhante: um show que se manteria na tela, ao vivo, durante 24 horas seguidas, com o mesmo título da campanha de Jerry Lewis: "Teleton" (abreviatura de "television marathon", ou maratona televisiva, em tradução literal). O dinheiro arrecadado iria para a construção e reforma dos centros de reabilitação da AACD. Silvio gostou da ideia e, no dia 16 de maio de 1998, logo depois de Fafá de Belém cantar "Depende de nós", de Ivan Lins, que virou a música-tema da campanha, Hebe Camargo apresentou o primeiro *Teleton*. Nomeada madrinha do projeto, Hebe transformou em tradição a apresentação das primeiras horas do show. Estava sempre lá, ao lado do cantor Daniel, escolhido como padrinho. No seu primeiro ano de vida, o *Teleton* arrecadou mais de 14 milhões de reais. Com o dinheiro, a AACD construiu um centro de atendimento em Recife e reformou outro no bairro da Mooca, em São Paulo. Quando a maratona completou dez anos, em 2008, Silvio Santos fez uma homenagem a Hebe, mostrando suas participações nas campanhas dos anos anteriores. "Existe uma pessoa que me convenceu a fazer o *Teleton*, e eu acho que ela é a mola mestra de tudo", ele disse. "Ela tira água de pedra!"

A campanha idealizada por Hebe ainda se mantém no ar, e é a principal responsável pela existência de mais de uma dezena de unidades da AACD espalhadas pelo país, proporcionando mais de seis mil atendimentos diários gratuitos.

Na mesma época em que o primeiro *Teleton* foi ao ar, Hebe cuidava do novo disco. O produtor escalado para acompanhá-la em seu retorno ao mundo da música foi José Milton, o mesmo do CD de Agnaldo Rayol. Ele e Hebe tinham se dado bem na gravação de "Serenata do adeus". Naquela ocasião, o arranjo tinha sido feito pelo maestro Eduardo Souto. A ideia era que Hebe cantasse uma vez para que o microfone fosse ajustado à sua voz. Ainda seria necessário fazer uma segunda passagem, pelo menos, com o microfone já adaptado. Ela cantou a primeira vez, e tudo ficou pronto. Nem precisou da segunda passagem. "Eu tomei um susto", admite José Milton. A própria Hebe tentou explicar o que aconteceu: "É o mesmo que andar de bicicleta. A gente não esquece."

O bom entrosamento entre produtor e cantora se repetiria no disco novo, que recebeu o nome de *Pra você*, mesmo título de uma das canções do repertório selecionado. As sessões de gravação foram realizadas no estúdio da Universal, no Rio de Janeiro. O presidente da companhia, Marcelo Castello Branco, lembra-se daquele período. "Era uma farra!", diz ele. "Se ela nos convidava para almoçar, a gente não voltava para trabalhar. Ficava bebendo e conversando a tarde inteira."

Foi um "bom disco", na avaliação de Castello Branco. "Ela era uma cantora correta, com os vícios de cantar da sua época. Tinha a voz mais empostada. Seu trabalho veio com essa tinta do passado, mas era uma cantora muito boa."

Em *Pra você*, "essa tinta do passado" aparece tanto no estilo da Hebe de cantar como no repertório. A canção mais recente é do ano 2000, "Besame", de Flávio Venturini e Murilo Antunes. Hebe não gravou nenhuma canção inédita. O disco abre com "Nada além", um foxtrote de 1937 composto por Mário Lago e Custódio Mesquita. Com sua voz grave e suave, ela volta aos tempos de crooner da orquestra do Lord Hotel. É um começo de disco arrebatador.

Fazem parte da seleção musical duas canções dos anos 1950. Tom Jobim, que Hebe gravava no tempo da bossa nova, reaparece na parceria com Dolores Duran em "Por causa de você" (a melhor faixa do disco). A outra é um samba-canção derramado, "Quase" (aquele do "foi pensando em você que eu escrevi essa triste canção"), de Mirabeau e Jorge Gonçalves. Dos anos 1960, quando Hebe ainda cantava nos programas da TV Record, ela escolheu "Pra você", de Silvio Cesar.

Dos anos 1970, Hebe pescou um clássico do samba ("As rosas não falam", de Cartola), duas das canções que Chico Buarque escreveu expondo sua alma feminina e que tinham sido imortalizadas na voz de Maria Bethânia ("Esse cara" e "Olhos nos olhos"), uma canção romântica de Roberto e Erasmo Carlos ("De tanto amor") e o sucesso "Como vai você", de Antônio Marcos e Mário Marcos. Ela homenageou a amiga Rita Lee cantando "Só de você", de Rita e Roberto de Carvalho, de 1982.

A faixa mais estranha é certamente a que fecha o disco, "Pense em mim", sucesso sertanejo de 1990 composto por Douglas Maio, José Ribeiro e Mário Soares e lançado pela dupla Leandro e Leonardo. Hebe andava encantada com o coral das Meninas Cantoras de Petrópolis, que havia se apresentado em seu programa. O grupo gravara um CD de músicas sertanejas e, certa noite, interpretara "Pense em mim" no programa *Hebe*. A cantora convenceu José Milton a incluir a toada no repertório do seu disco e a gravá-la com o coral das Meninas. Elas são as únicas convidadas, e, embora seja uma faixa muito bem gravada, o tom não combina com o restante do trabalho. Hebe chegou a se apresentar na televisão com o coral, fazia propaganda do disco delas. Segundo a apresentadora, as jovens a faziam levitar quando cantavam.

Somente duas faixas foram feitas com "playback", isto é, com Hebe cantando acompanhada por uma pré-gravação dos músicos: "Nada além" e "Só de você". Todas as demais canções foram gravadas, como antigamente, com os músicos fazendo a base no estúdio. Ela não abriu mão de algumas das suas escolhas. Uma delas foi "Pra você". "Ela adorava o Silvio Cesar", conta José Milton, que revela como foram eleitas algumas das outras faixas. "Nós fizemos uma ou duas reuniões na casa dela. 'Nada além' ela queria. Queria também o 'Pense em mim'. E 'Quase', porque era cantada pela Carmen Costa. Ela era fã incondicional da Carmen Costa, assim como da Ademilde Fonseca. Eu empurrei 'Besame' e sugeri 'Esse cara.'"

As bases foram gravadas em uma semana. Nesse período, Hebe esteve no estúdio duas ou três vezes. "A gente gravava duas músicas por dia", revela José Milton. "Nada além" foi gravada nos Estados Unidos. Já as cordas foram gravadas em Londres, e Hebe viajou para lá com o produtor. "Foi uma farra", é como ele descreve a rápida passagem por Londres, repetindo a descrição que Marcelo Castello Branco fez das gravações no Rio. Em Londres, José Milton levou Hebe para andar de metrô pela primeira vez na vida. "É muita gente!", ela se surpreendeu.

José Milton resume esse tempo de trabalho com Hebe: "Ela tinha muito bom humor. Era muito fácil conviver e trabalhar com ela. Mas o que mais me impressionou nela foi a musicalidade. Ela não tinha problema algum em aprender as canções e cantar as coisas. Era superafinada. Não me lembro de ter feito nenhuma emenda no disco."

O disco foi lançado em 1998 com um grande show na casa de espetáculos Palace, em São Paulo. Nervosa, Hebe chegou carregando uma garrafa de uísque Black Label, presente para a orquestra. "O equipamento de trabalho de vocês está aí", justificou. Mas não escondeu a felicidade por estar, novamente, convivendo com músicos, tentando acertar tons, enfim, trabalhando com a arte que havia abandonado muito tempo antes. Encomendou pizza e cerveja para serem consumidas durante o ensaio. "Mas não é cerveja de músico", alertou. "É cerveja gelada." Em cima da hora, percebeu-se que o tom de "Besame" tinha ficado baixo demais. Hebe tranquilizou a todos. "Deixa que nos baixos eu me viro", garantiu.

Foi um sucesso. Toda São Paulo compareceu, e Hebe chegou a ser comparada a Marlene Dietrich na maturidade. Dias depois, foi realizada uma minitemporada de quatro noites no Metropolitan carioca e, a partir daí, mais shows em várias capitais do país — Recife, João Pessoa, Belém, Curitiba... Hebe sempre se apresentava com uma orquestra. Viajavam com ela os músicos da base e mais um de cada naipe. Os outros componentes dos shows eram contratados em orquestras locais. Havia sempre um convidado também. Os cantores Alcione, Jair Rodrigues e Roberta Miranda fizeram parte da trupe. Em todas as praças, a excursão lotou as plateias. No fim do ano, o SBT produziu um especial com o repertório do CD e as participações de Rita Lee, Silvio Cesar, Ney Matogrosso e Agnaldo Rayol, com quem Hebe cantou "Serenata do adeus".

José Milton se lembra da Hebe das "farras" pós-espetáculo. Às duas da madrugada, ela era capaz de jantar rabada com pimenta. "Não vai me fazer mal nenhum", ela dizia. "Vou acordar bem amanhã." E acordava. Certa noite, a artista foi convidada pelo então governador de Goiás, Marconi Perillo, para jantar no Palácio do Governo, em Goiânia. Perillo telefonou pessoalmente para ela, que, no entanto, não queria largar, nem por uma noite, o clima de turnê. Hebe gostava de sair do show e esticar para um jantar. A artista impôs, então, a sua condição: "Tudo bem, governador, mas nós somos 53 pessoas." Elegante, Perillo não voltou atrás e recebeu Hebe, José Milton, a produção e toda a orquestra para jantar no Palácio das Esmeraldas. No fim da noite, a artista ainda convenceu a trupe a ir para uma churrascaria, onde surpreendeu os fregueses com uma canja. "Eu nunca vi essa mulher de mau humor", elogia José Milton.

Pra você não chegou a entrar para o hit parade. "Ela vendeu poucos discos", admite Marcelo Castello Branco. Na verdade, foram sessenta mil cópias, um número razoável para a crise da indústria fonográfica, que já se avizinhava. "Mas tudo era compensado com o carinho que ela dava para a companhia." Hebe sempre convidava o cast da gravadora para se apresentar em seu programa. Castello Branco admite que muito do sucesso da cantora italiana Laura Pausini no Brasil se deve às suas aparições no programa *Hebe*. Mas também havia a contrapartida. Quando surgiu a oportunidade de patrocinar a viagem de um brasileiro à Itália para entrevistar o tenor cego Andrea Bocelli, a Universal escolheu Hebe Camargo.

Hebe esteve com o cantor na sua casa de veraneio em Forte dei Marmi, na Toscana, a 35 quilômetros de Pisa. Mais tarde, ela disse à *Caras* que o encontro a marcou demais, e que essa entrevista tinha entrado para o rol das mais importantes de sua vida. "Quando entrei na sala de Andrea, estava nervosa e emocionada", ela confessou. "Ao vê-lo, ao lado da mulher, Enrica, e dos filhos, senti uma taquicardia enorme, que nunca tive. Meu coração deu uma acelerada tão absurda que até assustei."

Aos 70 anos — ela comemorou o aniversário na semana da entrevista — e com 55 de vida artística, Hebe ainda se emocionava, ainda ficava nervosa diante de um artista que admirava. E sua experiência permitia que ela fizesse comparações. "Estive com Luciano Pavarotti em São Paulo, e a emoção foi diferente. Tive a sensação de que ele estava me ignorando, enquanto o Bocelli parecia estar 'me vendo' de uma maneira quase espiritual. Jamais senti esta emoção nesses mil anos de carreira."

Hebe dava um jeito de falar da Universal até mesmo quando o convidado era de outra gravadora. Houve, por exemplo, uma noite em que ela recebeu em seu programa a dupla Zezé Di Camargo e Luciano, que vinha lançar um novo DVD.

— Vocês também são da Universal? — ela perguntou.

— Não — respondeu Zezé. — Somos da Warner.

— Ah, que peninha!

A dupla Hebe/José Milton gravou mais um disco, *Como é grande o meu amor por vocês*, lançado em 2001. Como o trabalho anterior, também é uma obra romântica, mas o novo CD tem algumas peculiaridades. Das 12 faixas, nove são divididas com outros artistas, como Chico Buarque ("Trocando em miúdos", parceria de Chico com Francis Hime), Caetano Veloso ("Dom de iludir"), Nana Caymmi ("Sábado em Copacabana", de Dorival Caymmi e Carlos Guinle) e Ivete Sangalo ("Simples carinho", de João Donato e Abel Silva). Surpreendentemente, ela regravou "Queria", de Carlos Paraná, agora formando um trio vocal com Zezé Di Camargo e Luciano. Essa canção fez parte do álbum *Hebe 65*. Tom Jobim, sempre presente em seu repertório, está na faixa "Eu não existo sem você", que ela divide com Fábio Júnior. Também estão no CD Zeca Pagodinho ("Papel de pão", de Cristiano Fagundes), Simone ("Pensando em ti", de Herivelto Martins e David Nasser) e o pianista argentino Raúl di Blasio ("A noite do meu bem", de Dolores Duran). As três faixas em que canta sozinha são "Naquela mesa", de Sérgio Bittencourt, "Brigas", de Evaldo Gouveia e Jair Amorim, e "Como é grande o meu amor por você", de Roberto Carlos, que abre o CD.

Um terceiro disco chegou a ser pensado. Ideia de José Milton, Hebe gravaria somente músicas de compositores paulistas. "O nome do disco seria *São Paulo*", revela ele. Para o repertório, seriam escolhidas canções de Denis Brean, Eduardo Gudin, Adoniran Barbosa, Rita Lee, Garoto, Paulo Vanzolini. "Só ela poderia gravar um disco assim", avalia José Milton. Mas Hebe teve medo. "Isso não vai ficar muito São Paulo?", ela desconfiou. A gravadora também não aderiu muito à ideia, e o projeto ficou sendo só um projeto.

Desde a gravação de *Pra Você*, a companhia do sobrinho, Claudio Pessutti, começou a assumir um caráter mais profissional. Hebe nunca tivera empresário. Sua contratação pelo SBT fora feita sem negociação: Sílvio Santos fez uma proposta, ela aceitou e assinou os documentos. A partir daí, o contrato passou a ser renovado a cada quatro anos. Ela fazia merchandisings de graça apenas porque o dono de determinado produto era seu amigo. Se alguém de quem ela gostava era dono de uma fábrica de óculos, por exemplo, Hebe falava da marca no programa. Fazia propaganda sem cobrar nada.

Claudio, que continuava sendo o sobrinho preferido da apresentadora, ficou ainda mais próximo dela quando seu programa passou a ser exibido pelo SBT. No dia da estreia, a emissora mandou um carro buscá-la. Na volta para casa, Hebe se assustou ao perceber que outro veículo a seguia de perto. Nunca se soube se era um fã ou um sequestrador. Ou um fã-sequestrador. O fato é que, a partir daí, Claudio resolveu que a tia nunca mais iria sozinha para o trabalho. Passou a buscá-la em casa e a levá-la para o SBT todas as semanas, e no fim da noite a trazia de volta. Claudio morava longe do Morumbi, em Alphaville. Como a gravação sempre era seguida por uma esticada em restaurante, Hebe começou a pedir que ele dormisse na casa dela, para que não precisasse se deslocar sozinho durante a madrugada. E ele foi ficando. O sobrinho passou a acompanhá-la em viagens também, o que o fez se afastar de seus próprios negócios. O casamento dele já não ia bem. Depois da separação, deixou a casa de Alphaville e foi morar com a tia famosa. Daí, para se tornar empresário dela de verdade, foi um processo rápido.

Claudio passou a cuidar dos contratos, do merchandising, da agenda e até dos investimentos de Hebe. "Só aí ela conseguiu ter uma tranquilidade financeira", ele conta. "Financeiramente, Lélio tinha boas condições. Ganhou muito dinheiro vendendo máquinas operatrizes. Mas, quando elas passaram a ser eletrônicas, caiu muito o movimento da empresa dele. Ele gostava de esbanjar. Preferia passar só uma semana em Paris, mas voando de primeira classe, do que um mês inteiro, se fosse para viajar de classe econômica. Morreu praticamente sem nada."

"Tia Hebe sempre foi absolutamente independente. Ela não dependia do Lélio para coisa alguma", garante o sobrinho. Só no SBT, o contrato renovado nessa época — e já negociado por Claudio — lhe garantia cem mil reais por mês. Com o sobrinho exercendo oficialmente o papel de empresário, Hebe, pela primeira vez, organizou sua vida no mundo da publicidade e passou a ser uma das artistas mais solicitadas do país para gravar propagandas na TV. "Era facílimo lidar com ela", lembra Claudio. "Ela já chegava na agência penteada e, muitas vezes, vestida. Às vezes, levava duas ou três mudas de roupas para escolher na hora, com o diretor, qual usar. Ela queria chegar, gravar e ir embora. Era muito boa nisso. Você punha o teleprompter com o texto na frente dela, ela incluía os cacos e resolvia logo."

Em algumas ocasiões, as tentativas do empresário de evidenciar o valor comercial de Hebe não davam certo. Isso aconteceu, por exemplo, com os vestidos que ela usava no programa de TV. Hebe sempre pagava pelas roupas que usava no programa. Como a apresentadora costumava citar a estilista Eugenia Fleury, Claudio propôs um negócio: Eugenia emprestaria um vestido por semana; em troca, Hebe continuaria a citar seu nome na televisão. Negócio acertado, Hebe sentiu-se tolhida. Enquanto ela tinha a palavra final, estabelecida no pagamento do vestido, ficava satisfeita com as roupas escolhidas. Mas como dizer não para uma roupa emprestada? Não deu certo. Menos de um mês depois, Hebe voltou a comprar os vestidos que usaria na televisão. E a mencionar o nome de Eugenia Fleury somente quando tinha vontade.

Foi sob os cuidados do sobrinho que ela, enfim, profissionalizou a venda de seu nome como marca. Hebe já havia passado pela experiência de emprestar seu nome a marcas de óculos, relógios, batons, meias femininas, cosméticos e bijuterias. Mas eram negócios quase domésticos, com distribuição precária. Ninguém ganhava muito dinheiro. Em 1999, ela assinou um contrato com a Marcas Marketing e Licenciamento Ltda., empresa que, como o próprio nome indica, era especializada em licenciamentos. A Marcas era capaz de distribuir os produtos pelo Brasil inteiro. Hebe cedeu seu nome para vender lingerie, sapatos femininos, baixelas de aço inoxidável, algodão para retirar maquiagem, curativos, produtos alimentícios e confecções. No total, o estoque tinha força para faturar quarenta milhões de reais por ano. Dessa quantia, dois milhões iam diretamente para a conta bancária da apresentadora. "Nunca consegui ganhar tanto dinheiro", confessou a própria Hebe em reportagem ao jornal *Gazeta Mercantil*. Era justo. O diretor da Marcas, José da Rocha Neto, avaliou o poder da artista no mercado: "A marca Hebe está associada a um glamour e a uma classe incomparáveis."

Mas não era só isso. Já estava provado que Hebe era uma marca com durabilidade. "No começo da carreira, eu era ingênua, jamais me imaginava como grife", contou ela à *Gazeta Mercantil*. "Hoje, sei que tenho que aproveitar minha popularidade."

De acordo com pesquisas feitas com a audiência do seu programa, o nome Hebe atingia um público na sua maioria formado por gente com mais de quarenta anos (38%), mas também era forte na faixa dos 25 aos 39 (23%). Surpreendentemente, tocava também o público infantil, de dois a nove anos (13%). Mas ficava evidente a maior receptividade em mulheres com mais de cinquenta anos (51%). "Ela é marca forte, que permite ousar", resumiu José da Rocha Neto.

Enquanto crescia a participação de Claudio Pessutti na vida de Hebe, Lélio saía de cena. O companheiro, que estava com ela desde 1973, chegou a ver a volta da esposa à carreira de cantora, mas já não estava presente na retomada das excursões, nas temporadas de shows e nos projetos de discos futuros. Nem pôde testemunhar a transformação de seu nome em marca. Lélio morreu no dia 18 de julho do ano 2000. Foram 27 anos de relacionamento, com uma pequena interrupção que não chegou a durar 12 meses, quando completaram dez anos de casados. Desde que Hebe e Lélio voltaram a morar juntos, em 1983, a saúde dele não andava boa. Quando ela e Marcello retornaram à casa do Morumbi, ele passou mal, teve de ser internado e se submeteu a uma cirurgia para a colocação de duas pontes de safena. Recebeu alta com uma única recomendação médica: parar de fumar. Se não fizesse isso, teria só mais dois anos de vida. Lélio não parou. Dizia que preferia viver um ano fumando a passar dez anos sem fumar. Viveu mais 17 e nunca abandonou o vício, apesar das promessas de Hebe a Nossa Senhora de Fátima. Quando começou o cerco ao fumo em ambientes fechados, ele deixou de ser a companhia da mulher para ir a shows. Não aguentava ficar duas horas seguidas sem acender um cigarro.

Foi um relacionamento cheio de altos e baixos, mas não se pode negar que houve muito amor de ambas as partes. Hebe não escondia sua dívida de gratidão com ele. "O meu casamento com o Lélio aconteceu de repente", ela declarou numa entrevista à *Contigo* em 1993. "Eu estava jogada às traças, desempregada, sem ninguém. Aí o Lélio apareceu e deu um equilíbrio em minha vida." Não tinha vergonha de revelar que mantinha uma vida sexual ativa com o marido. "Minha maneira de fazer amor é realmente maravilhosa", afirmou à *Playboy*. "Poucos ainda sabem como é bom uma carícia, um roçar de corpos, mãos que se procuram e se encontram." E havia também carinho. Hebe sempre deixava três bombons de chocolate na mesinha de cabeceira de Lélio, para o caso de ele ter fome de madrugada.

Lélio tinha enfisema pulmonar. Em maio de 2000, com 78 anos, foi internado no hospital Albert Einstein com fortes dores no peito. Precisou passar por uma cirurgia de emergência para irrigar o coração. Teve alta, mas, no dia 23 de junho, foi internado outra vez. Submeteu-se a um cateterismo, que constatou a necessidade de mais três pontes de safena. Ele reagiu bem à nova operação, mas, no começo de julho, complicações o levaram para a Unidade de Tratamento Intensivo. Não saiu mais do hospital. Morreu no dia 18, uma terça-feira, às 16h40. De acordo com o atestado de óbito, a causa foi falência múltipla dos órgãos. Hebe estava em casa quando ele faleceu. Ao chegar ao Einstein, o corpo de Lélio ainda estava na cama, e ela deixou três bombons de chocolate na mesinha de cabeceira do quarto da UTI.

Não houve testemunhas, mas não seria impossível imaginar que ela se despediu do companheiro de quase trinta anos com música, cantando baixinho a "Serenata do adeus", que gravara com Agnaldo Rayol:

> *"Ai, a lua que no céu surgiu*
> *Não é a mesma que te viu*
> *Nascer nos braços meus*
> *Cai, a noite sobre o nosso amor*
> *E agora só restou do amor*
> *Uma palavra, adeus"*

CAPÍTULO 15

"É DIFÍCIL TER APENAS UM CORAÇÃO"

No mesmo dia em que ficou viúva, Hebe entregou a casa do Morumbi para os filhos de Lélio e se mudou para outra mansão no mesmo bairro. Ela já havia comprado a nova casa havia um ano, e se referia ao lugar como aquele com que "sempre sonhei", mas Lélio nunca quisera morar lá. Seis anos depois de instalada, comprou a casa vizinha e deu para o filho, Marcello. Na nova residência, manteve a mesma rotina pelos dez anos seguintes. Acordava entre nove e dez da manhã, tomava café na sala de jantar e lia todos os jornais. Tinha espaço para conviver com seus cachorros — chegou a ter oito de uma só vez — e pássaros. Gostava de ir para o jardim, olhar para sua propriedade e dizer a si mesma, orgulhosa: "Isso tudo é meu. E está pago!" Passava as tardes vendo televisão. Saía para ir ao cabeleireiro, para gravar o programa e, invariavelmente, para jantar fora. Nunca mais pensou em dividir a casa com outro homem. "O casamento é uma prisão", disse em entrevista à *IstoÉ* em 2008. "Nessa altura da minha vida, dar satisfação de onde eu vou, com quem eu vou... Eu não casaria de novo. Quando estive casada com Lélio, apesar de ele ter sido um ótimo marido, já não gostava. Me sentia muito presa, ele tinha muito ciúme de mim. Liberdade não tem preço."

Em 2009, quando completou 80 anos, Hebe mantinha seu índice de popularidade em alta. Era uma estrela da TV havia quase sessenta anos, tinha vencido sua grande frustração retomando a carreira de cantora e exercia na plenitude o que mais gostava de fazer: viver a vida. Foi nesse espírito que partiu para as comemorações. A festa foi oferecida pela empresária Lucilia Diniz. No dia 8 de março, um domingo, ela abriu sua casa para receber seiscentos convidados, entre eles os apresentadores Eliana, Otávio Mesquita, Amaury Jr., Ana Maria Braga, Luciano Huck e Angélica, o então governador de São Paulo José Serra, as socialites Beth Szafir e Madeleine Saade, as cantoras Preta Gil e Rosemary, o empresário João Doria Junior e a jornalista Glória Maria. Dois nomes brilhavam mais que os outros na lista de amigos: o cantor espanhol Julio Iglesias, que estava fazendo uma temporada de shows em São Paulo, e o Rei Roberto Carlos.

Foi a chance de os repórteres da revista *Caras*, que estavam fazendo a cobertura do evento, perguntarem a Roberto sobre o amor platônico de Hebe, que era um tema recorrente em seu programa de TV. "Hebe tem um grande senso de humor", disse ele. "Esse amor platônico faz parte das brincadeiras dela. Tenho certeza que ela me ama muito como eu também a amo. Nossa amizade é muito grande, nos conhecemos desde a Jovem Guarda, até perdi a conta de quantos anos são. Ela é uma mulher maravilhosa, um ser humano da melhor qualidade e a melhor apresentadora do Brasil."

Os guardanapos da festa tinham o rosto dela estampado. A decoração ficou por conta de duas mil rosas vermelhas e de aparelhos de TV de todos os tipos espalhados pelos salões. Lucilia explicava o motivo que a levara a promover a celebração: "Ela estimula nossos sonhos, enxuga nossas lágrimas e participa das nossas maiores lembranças. Ela é mais que madrinha e mentora, é um fenômeno da natureza, um foco de luz que jamais se apaga, pois pertence a uma classe rara de gente que já nasce com um sol dentro de si." Hebe só teve uma resposta para tantos elogios: "Vou ter de viver mais oitenta anos para poder retribuir esta festa."

A festa se prolongou por mais algum tempo. Dez dias depois, Lucilia capitaneou um grupo de amigos para continuar as celebrações nos parques infantis de Orlando. Foram três dias de farra. Hebe passava as tardes entre uma montanha-russa e outra e as noites nos restaurantes do Epcot Center. A comemoração chegou ao ápice na sexta-feira, 20 de março, com ela vestida nas cores da bandeira do Brasil dentro do carro que puxava a tradicional parada do Magic Kingdom. Com ela vinha o filho, Marcello, além de Mickey e Minnie, em pessoa, cantando "Happy Birthday".

O aniversário foi de Hebe, mas quem ganhou o maior presente foi seu público. Pouco mais de dois meses depois, ela participou de um projeto que marcaria sua vida de cantora para sempre. A Rede Globo produziu, com direção de Monique Gardenberg, o especial *Elas Cantam Roberto Carlos*. No dia 26 de maio, a emissora gravou, no Teatro Municipal de São Paulo, um show em que vinte cantoras interpretavam músicas do repertório do cantor. Estava ali o melhor da voz feminina brasileira. Eram quatro representantes da MPB (Zizi Possi, Alcione, Fafá de Belém e Nana Caymmi), duas colegas de Roberto dos tempos da Jovem Guarda (Wanderléa e Rosemary), duas roqueiras (Fernanda Abreu e Paula Toller), duas escalações inesperadas (a cantora lírica Celine Imbert e a atriz Marília Pêra), três deusas do axé (Daniela Mercury, Claudia Leitte e Ivete Sangalo). E mais Luiza Possi, Marina Lima, Sandy, Ana Carolina, Mart'nália e Adriana Calcanhotto. De todas, quem arrasou mesmo foi a vigésima, Hebe Camargo, escolhida pelo próprio Roberto.

O diretor musical do projeto, Guto Graça Mello, reuniu-se com ela para escolher a música que a apresentadora cantaria. Hebe sugeriu cinco ou seis canções, todas do repertório mais popular do cantor. Aí se lembrou de "Você não sabe", uma música romântica menos conhecida, composta em parceria com Erasmo Carlos para o disco que ele gravou em 1983. Maria Bethânia tinha incluído essa faixa no trabalho que dedicou à dupla, *As Canções que Você Fez Pra Mim*, mas a versão definitiva ficou mesmo com Hebe.

Nos ensaios, sua interpretação se destacou tanto que ela foi selecionada para abrir o show. Hebe se assustou: "Com todas essas cantoras aqui, você vem me pedir para abrir?" Guto tentou acalmá-la: "Você canta melhor que elas." Quando faltavam dois minutos para o espetáculo iniciar, Hebe o chamou da coxia. "Ela estava uma pedra de gelo", ele se recorda. "Gutinho, eu vou desmaiar no palco." Não foi o que aconteceu. "Ela arrebentou", resume Guto. "Roberto ficou enlouquecido." Quando a cortina do palco do Municipal se abriu, Hebe estava de costas para a plateia. A orquestra deu os primeiros acordes, ela entrou no tom, abriu os braços, exibindo o vestido de renda feito pela estilista Martha Medeiros, virou-se de frente, mostrando um inacreditável conjunto de colar e brincos de rubis que comprara em Dubai, e interpretou a canção de maneira inesquecível. Parecia uma música inédita. Ao final, nos bastidores, Roberto dirigiu-se a Guto: "Não disse? A Hebe é foda."

O especial foi exibido pela Globo no dia 31 de maio. Na edição para a TV, Hebe continuou brilhando, mas sem direito a número de abertura. O DVD foi lançado pela Sony em outubro, e a gravadora gostou tanto da participação de Hebe que criou um projeto só para ela: um DVD em que a estrela cantaria com convidados, também dirigido por Guto Graça Mello. O projeto ficou para o ano seguinte, mas no ano seguinte a Hebe que voltaria a trabalhar com Guto não seria a mesma do show de Roberto.

Na virada de 2009 para 2010, Hebe, parentes e amigos foram passar as festas em Miami. Ela ficou hospedada no apartamento de Labibi Alves da Silva. Também estavam na cidade o sobrinho, Claudio, o filho, Marcello, com amigos, e uma nova personagem que passou a fazer parte do círculo mais próximo da artista: Helena Caio, namorada de Claudio.

Os pais de Helena eram amigos de Hebe. Quando criança, ela chegou a assistir com a mãe, no auditório, a um dos seus programas no SBT. O pai fora um dos convidados da festa de aniversário de 79 anos, promovida por Labibi. O começo do namoro com Claudio foi às escondidas. A diferença de idade — Helena é bem mais moça — levou o pai dela a rejeitar o romance. Hebe acobertava o casal, incluindo Helena no grupo que sempre reunia nos restaurantes de São Paulo. Era uma maneira de justificar a presença da jovem na companhia do sobrinho. Helena passou a fazer parte também das viagens de Hebe. Esteve no encontro com Andrea Bocelli na Itália, foi assistir a uma apresentação de Roberto Carlos em Nova York, estava na plateia de um espetáculo de Michael Bublé em Londres, fez parte da viagem a Dubai.

Em 2008, houve um roubo na casa de Hebe. Um cofre foi levado com muitas de suas joias. A partir desse episódio, Claudio não quis mais que a tia morasse sozinha. Comprou de Marcello a casa vizinha — o primo tinha ido morar em Santa Fé do Sul, no interior de São Paulo — e se mudou para lá com Helena. Na viagem de fim de ano a Miami, Helena também estava lá. É ela quem conta o que aconteceu.

Hebe passou a noite de Natal com Labibi, e o almoço do dia 25 foi no apartamento de Helena. Na semana entre o Natal e o Ano-Novo, Hebe começou a se queixar. Estava com os pés inchados, a barriga dilatada, sem apetite. No réveillon, Labibi recebeu amigos em seu apartamento, entre eles o cirurgião plástico de Hebe, Pedro Albuquerque. Ele não gostou do que viu. Chamou Claudio e recomendou que marcasse um check-up para a tia. Hebe deveria voltar ao Brasil só no dia 6 de janeiro, mas antecipou a viagem e retornou quatro dias antes com Claudio.

No dia 5, Hebe fez exames no Hospital Albert Einstein. Uma tomografia constatou nódulos no seu abdômen. No dia 8, ela se internou para se submeter a uma cirurgia de retirada desses nódulos, que foi realizada no dia 9. Durou três horas. No dia 10, ela recebeu o diagnóstico. Tinha câncer disseminado pelo peritônio e deveria começar imediatamente o tratamento com sessões de quimioterapia. Seriam seis ou oito sessões, uma a cada 21 dias. A primeira foi feita no dia 13, ainda no hospital.

Todas as informações que chegavam à imprensa eram otimistas. Por meio de Claudio, Hebe mandou uma mensagem para os repórteres que faziam vigília na porta do Einstein: "Tenho sede de viver. E, mais do que nunca, vou viver a vida bem-vivida." Os médicos diziam que ela estava bem, caminhando pelo quarto e conversando. Mas não foi assim. A notícia a abateu, por mais que a repercussão que atingiu todo o país não tivesse chegado ao quarto do Albert Einstein. A família manteve a televisão desligada. "Está com defeito", era a resposta que Hebe recebia quando pedia para assistir. O objetivo era evitar que ela acompanhasse o que os programas populares vespertinos diziam sobre sua doença. Os jornais também não chegavam até ela. Todos estavam publicando matérias científicas sobre câncer no peritônio. E Hebe não queria receber visitas. Só abria exceção para Claudio e Marcello. Os dois e Helena se instalaram no quarto ao lado. A quimioterapia lhe tirou o apetite. Para tentar reverter esse quadro, suas refeições vinham de casa, preparadas sob a orientação de nutricionistas. E eram servidas com a prataria e os guardanapos da própria Hebe, que Helena levou para o hospital. "Muitos amigos acham que o Claudio blindou a Hebe", conta Helena. "Não é verdade. Ela é que não queria ver ninguém." Hebe recebeu alta, enfim, no dia 20 de janeiro, e continuou o tratamento em casa. Os pés ficaram dormentes, as mãos também. O cabelo caiu e o paladar se modificou. Não foi um período fácil. Surpreendentemente, porém, cerca de dois meses depois, na época em que seu programa sempre voltava ao ar, ela estava pronta para o trabalho. No dia 8 de março, data de seu 81º aniversário, Hebe voltou a apresentar sua atração semanal no SBT. Foi um retorno triunfal.

Prontos para recebê-la no palco estavam os cantores Ivete Sangalo, Maria Rita, Ney Matogrosso e Leonardo. Eles cantaram "Andar com fé", de Gilberto Gil, e foram aplaudidos de pé pela plateia. E que plateia! Estava lá todo o elenco do SBT: Carlos Alberto de Nóbrega, Eliana, Moacyr Franco, Ratinho, Jussara Freire, Celso Portiolli e muitos mais. As amigas Beth Szafir, Helena Mottin e Lucilia Diniz também compareceram. Na primeira fila, Xuxa, Marília Gabriela, Astrid Fontenelle e Ana Maria Braga. De peruca e salto alto, Hebe entrou em cena esbanjando bom humor. Dirigiu-se ao público cantando, à capela, um samba humorístico de Adoniran Barbosa.

> *Se voceis pensam que nóis fumos embora*
> *Nóis enganemos voceis*
> *Fingimos que fumos e vortemos*
> *Ói nois aqui traveis*

Maria Rita anunciou uma surpresa: uma mensagem de Silvio Santos gravada em seu programa de auditório. Com as "colegas de trabalho", ele cantou "Parabéns pra você" e, em seguida, saudou o retorno da apresentadora. "Minha querida colega Hebe Camargo, nós, do SBT, estamos felizes e satisfeitos por você estar voltando a trabalhar conosco", disse ele, chamando-a de "uma das estrelas mais brilhantes da televisão brasileira". Hebe rebateu, mantendo o humor. "Desde a TV Paulista eu canto você, mas não consegui nem um selinho", respondeu após a exibição do vídeo.

Para encerrar, Hebe apresentou uma entrevista gravada dias antes com Roberto Carlos. Os dois estavam emocionados. Choraram mais de uma vez durante a conversa que mantiveram por 15 minutos. Roberto cantou "Parabéns pra você", acompanhado pelo maestro Eduardo Lages ao piano, e quase não conseguiu terminar "Como é grande o meu amor por você", que interpretou olhando para ela. Os dois terminaram abraçados e enxugando as lágrimas. Foi comovente.

Hebe aparentava estar muito bem. "Mas teve que diminuir o ritmo", revela Helena. "Já não tinha mais tanta força." Mesmo assim, em outubro, gravou o DVD que tinha planejado com a Sony. Dirigida por Guto Graça Mello, ela ocupou o palco do Credicard Hall, em São Paulo, por uma noite, dividindo as faixas com convidados. "Ela era uma intérprete maravilhosa", elogia Guto. "Tinha um dos vibratos mais bem-colocados que eu já ouvi e uma afinação perfeita."

No DVD, que recebeu o título de *Mulher e amigos*, Hebe interpreta, entre 18 canções, "Como vai você" (Antônio Marcos e Mário Marcos) com Alcione, "Foi assim" (Renato Corrêa e Ronald Corrêa) com Maria Rita, "Tocando em frente" (Almir Sater e Renato Teixeira) com Paula Fernandes e o agora clássico "Você não sabe", de Roberto e Erasmo Carlos. Ainda incluiu uma música que já tinha gravado nos anos 1960 ("Ponhom pom pom", de Catulo de Paula) e, numa volta por cima, "Universo do teu corpo", de Taiguara, a música que estava interpretando em seu programa na TV Tupi quando ouviu as críticas que lhe fazia o diretor Wilton Franco. Quem disse mesmo que Hebe não sabia cantar? Grande parte do repertório vem de um CD (*Mulher*) que Hebe lançara, também para a Sony, alguns meses antes.

"É DIFÍCIL TER APENAS UM CORAÇÃO"

Em novembro, foi a Las Vegas receber o Grammy Latino. Era um prêmio especial, uma retribuição pela contribuição à indústria do disco, por sempre ter aberto as portas de seu programa na TV para os novos talentos. "Para mim, foi uma honra, porque eu acho que é um dever de quem trabalha na televisão levar as grandes promessas para o mundo", disse ela no discurso de agradecimento.

Durante todo o ano de 2010, Hebe cumpriu a rotina de gravações no SBT, mas a relação com a emissora não ia bem. O programa entrava no ar, agora às segundas-feiras, um pouco depois das dez da noite e encerrava mais ou menos à meia-noite e meia. Hebe detestava esse horário. Achava que era muito tarde para ser visto pelo seu público, formado em sua maioria por senhoras mais idosas. O diretor Ariel Jacobowitz, que a acompanhou nos três últimos anos de SBT, tentava convencê-la de que era um bom horário. Depois das onze da noite o público migrava dos outros canais, e a audiência crescia. *Hebe* estava se transformando num talk show de fim de noite, mas ela mesma considerava isso um desprestígio. "Estão me empurrando para a madrugada", reclamava.

Tempos depois, Silvio Santos criou uma linha de shows às oito da noite e deslocou Hebe para esse horário. Ele acreditou que ela ficaria feliz, mas, na nova linha, as atrações só tinham uma hora de duração. E Hebe teve seu tempo reduzido. Ela ficou mais insatisfeita ainda: mal dava tempo de pôr no ar todos os seus merchandisings.

"Peguei o programa com um formato que estava se desgastando: o sofá, os musicais, oito ou nove convidados, a orquestra, que ela adorava... Ele não estava se renovando", analisa

Jacobowitz. "Tentamos algumas coisas. O sofá tornou-se um momento do programa, e Hebe ficou mais livre. Fizemos um especial com uma viagem a Dubai. Mas a verdade é que os números que conquistávamos já não eram expressivos."

O ano foi chegando ao fim, e, mais uma vez, estava na hora de negociar a renovação de seu contrato. Silvio Santos não vivia uma época favorável nos negócios. O Banco Panamericano, que pertencia ao seu grupo, era alvo de investigações por conta de irregularidades que supostamente tinham inflado seu patrimônio líquido em mais de R$ 2 bilhões entre 2007 e 2010. Da última vez, Hebe tinha tido o salário reduzido. Dos 700 mil reais que ganhava por mês, tinha passado para 500 mil. Agora, dera apenas uma recomendação para Claudio: "Você pode fazer o que quiser, mas diminuir o salário, não."

Silvio não participou da negociação; as reuniões aconteciam entre Claudio e o presidente do grupo, Guilherme Stoliar. E a proposta foi exatamente a que Hebe rejeitara: reduzir o salário, mais uma vez, pela metade. Ela se sentiu desprestigiada. Foi o bastante para desistir. No dia 27 de dezembro, Hebe apresentou o último programa do ano, usando o já famoso conjunto de colar e brincos de rubis de Dubai. Foi um show como todos os outros. Estavam lá os cantores Ivan Lins, Daniela Mercury, Cauby Peixoto, Alexandre Pires e Diogo Nogueira. Mas aquele seria também o seu último programa no SBT. Ao se despedir dos espectadores, Hebe fez um discurso de três minutos e catorze segundos no qual também se despedia da estação. Pegou de surpresa seus convidados e a plateia.

"Deixa eu falar uma coisa para vocês", ela começou, com a voz embargada, seguindo um texto que tinha encomendado a

"É DIFÍCIL TER APENAS UM CORAÇÃO"

Ariel Jacobowitz. Ele conta que Hebe gostava de trabalhar com dálias e fichas, e continuava rejeitando o ponto eletrônico. Ela "interpretava" o texto, o que levava o espectador a crer que, na verdade, ela não estava lendo. Hebe também incluía improvisos, o que dava ainda mais credibilidade ao que dizia. Aquele texto de 27 de dezembro ela interpretou com uma emoção especial.

"Desde março de 1986, estou nessa casa que tantas alegrias me trouxe. São quase 25 anos juntos. Para todos que trabalharam e ainda trabalham aqui, o SBT foi sempre muito acolhedor e muito correto com seus funcionários e colaboradores. Como todos sabem, eu visto a camisa, e na minha testa tem três letras: SBT. Nesse tempo que trabalhei aqui, fui merecedora de muito carinho, respeito e alegria. Cresci profissionalmente. Entrevistei artistas, cantores, intelectuais e celebridades que me prestigiaram. E de quase todos fiz grandes e fiéis amigos. Eu já disse uma vez que, nessas horas, é muito difícil ter apenas um coração. Foram muitos os que me acompanharam nesse meu trabalho, sempre motivo de prazer e estímulo para mim. Quando olho para trás e me lembro que participei da primeira transmissão da TV brasileira, penso que isto só foi possível porque vocês, meu público, vocês sempre estiveram comigo onde quer que eu estivesse. Vocês são a minha fonte de energia e de vida. Portanto eu posso garantir que do meu público não me afastarei, pois foi do contato com pessoas simples e humildes que construí minha carreira, e agora eu posso dizer, vitoriosa. Agora, minha gente, chegou a hora de mudar. Depois de 1.235 programas, considero encerrado o meu ciclo no SBT."

Nesse momento, o auditório reagiu, demonstrando espanto. Hebe enfeitou um pouco a sua trajetória. Afinal, ela não participou da primeira transmissão da TV brasileira (trocou a honraria por um encontro com o namorado, Luís Ramos, lembram-se?). Mas todo o resto do texto não podia ser mais sincero. E ela continuou:

"É preciso renovar, mudar, transformar. Eu preciso apagar as três letrinhas da minha testa. Mas eu quero agradecer ao meu grande amigo Silvio Santos por esses quase 25 anos. Eu quero continuar sendo sua amiga, Silvio. Você sabe o quanto eu te admiro e te respeito. Hoje, eu inicio uma nova jornada na minha carreira. Logo vocês terão notícias dos meus novos projetos para os próximos anos. Pretendo, claro, continuar minha carreira, não vou parar, levando informação, entretenimento e alegria para o meu público. Desejo a esta casa que tanto me acolheu muito sucesso e crescimento. E que Deus ilumine nossas vidas e a de todos os meus colegas, amigos e parceiros aqui do SBT. Boa noite e muito obrigada. Feliz Ano-Novo."

Daniela Mercury se aproximou de Hebe para abraçá-la. A apresentadora cumprimentou carinhosamente todos os cantores que estavam no palco e terminou, aos prantos, nos braços de Ivan Lins. As últimas imagens foram exibidas com a voz de Hebe, ao fundo, cantando "Você não sabe".

Você não sabe quanta coisa eu faria
Além do que já fiz
Você não sabe até onde eu chegaria
Pra te fazer feliz

"Eu acho que, se o Silvio a tivesse chamado e dito que estava passando por dificuldades, ela ficaria", acredita Claudio. "Mas saímos. E ela foi para a Rede TV!." O dono da nova emissora, Amilcare Dallevo Jr., já estava convidando Hebe para mudar de canal havia algum tempo. "Eu não podia deixar ela parar de trabalhar. Isso seria o fim dela", explica o sobrinho. Pelo menos um amigo recomendou que ela não aceitasse o convite. "Uma coisa é jantar com o Amilcare, outra é trabalhar na Rede TV!", justificou. No projeto vendido para Hebe, ela teria um papel parecido com o que teve quando trocou a Bandeirantes pelo SBT: levaria prestígio para a estação. Atraídos por ela, artistas do primeiro time aceitariam aparecer na emissora. Mas a história não se repetiu.

No dia 15 de dezembro, a foto que estampava a capa da revista *Veja São Paulo* era impactante. Hebe aparecia careca, consequência dos efeitos da quimioterapia a que tinha se submetido no começo do ano. Não era uma fotografia recente. Na verdade, seu cabelo já tinha crescido o bastante para ela nem usar mais peruca. A foto tinha sido feita em abril, e Hebe a cedera para a revista. Ela também queria provocar impacto. "É para mostrar de vez às pessoas que é possível vencer o câncer", justificou na época. "Quero passar uma mensagem de vida."

Hebe tinha vencido o câncer? No dia 26, com os cabelos naturais, ela recebeu uma das maiores homenagens de sua vida: foi a atração principal do programa *Domingão do Faustão*, na Rede Globo, no quadro "Arquivo Confidencial". Pela primeira vez na sua carreira, Hebe aparecia ao vivo na maior estação de TV do país. Fausto Silva a anunciou como "a mais querida personalidade da televisão no Brasil". Hebe não escondia a alegria de estar ali, e Fausto não escondia a satisfação de estar proporcionando essa alegria a ela. A produção caprichou. No telão apareceram entrevistas com as maiores amigas de Hebe: Lolita Rodrigues, Labibi Alves da Silva, Rosinha Goldfarb e, representando Nair Bello, que morrera em 2007, uma de suas filhas, Maria Aparecida. Foram exibidos relatos de Stela e Lourdes, as duas irmãs da estrela, e da prima Helena, que fez parte com ela do grupo vocal As Três Américas. Marcello, o único filho, e Claudio, o sobrinho, deram declarações emocionadas. Ao som de um violino tocando "Over the Rainbow", foi lembrada a importância de seu pai, Fego Camargo. Fernanda Montenegro e Lima Duarte também gravaram depoimentos. A certa altura, Hebe revelou o que estava sentindo: "Comecei o ano péssima e estou terminando nos píncaros da glória aqui na Globo. Eu estou na Globo!"

No mesmo programa, Fausto Silva anunciou Hebe como a ganhadora de 2010 do Troféu Mário Lago, prêmio concedido a artistas pelo conjunto da obra. O ator Antônio Fagundes, vencedor do ano anterior, entregou a estatueta a Hebe. Ela deu um selinho em Fagundes, outro em Fausto Silva e mais um em cada galã que estava no palco do *Domingão*, entre eles Reynaldo Gianecchini, Bruno Gagliasso e Caio Castro. Para o clima ficar ainda mais festivo, Claudio revelou, ao ser entrevistado, que os laudos médicos já comprovavam o sucesso do tratamento. Agora era oficial: ela estava curada. Só havia motivos para comemorar.

Hebe começou 2011 realmente cheia de disposição, cumprindo uma maratona carnavalesca que seria difícil até para quem tinha metade da sua idade e nenhum problema de saúde. No dia 7 de fevereiro, segunda-feira de Carnaval, estava no Rio desfilando na escola de samba Beija-Flor de Nilópolis, que, naquele ano, tinha como enredo "Roberto Carlos — A Simplicidade do Rei". A escola foi a última a desfilar. Já era dia claro de terça-feira quando Hebe saiu do Sambódromo. Foi o tempo de passar no hotel, vestir o abadá, pegar um avião e, ainda de manhã, aparecer no trio elétrico de Claudia Leitte em Salvador. Todos que acompanhavam a apresentadora mostravam sinais de exaustão, mas Hebe tirou de letra.

Uma semana depois de brilhar no Carnaval, Hebe estreou na Rede TV!. Foi na terça-feira, 15 de março de 2011, às oito da noite. As principais atrações da estreia foram uma entrevista pré-gravada com a presidenta Dilma Rousseff e musicais com os cantores Daniel, Sérgio Reis e Daniel Boaventura. O programa atingiu uma média de quatro pontos de audiência. Não era muito, mas foi o suficiente para a emissora conquistar o terceiro lugar no horário, o que, ainda hoje, é um feito raro para o canal. O novo *Hebe* reapareceu descaracterizado. O sofá deixou de ter importância. Os maiores nomes que aceitaram dar entrevistas para a apresentadora queriam concedê-las fora do estúdio. Foi assim, em externas, que Hebe entrevistou Rita Lee e Fábio Júnior, por exemplo. Mas houve acertos, sem dúvida. Hebe reviveu os tempos de *O Mundo É das Mulheres* em um quadro que foi batizado de "Roda de Mulheres". Nessa edição, que se tornou uma das melhores do programa na Rede TV!, ela convocou a jornalista Mônica Bergamo e as apresentadoras MariMoon e Patrícia Maldonado para entrevistar Ney Matogrosso. Foi uma conversa polêmica, com o cantor falando de sua sexualidade, mas Hebe se mostrava ligeiramente fora de forma. Mantinha os sapatos de salto, mas às vezes parecia aérea, sem prestar atenção no que estava sendo dito.

Tudo pareceu piorar em setembro, quando ela anunciou a seus espectadores que iria fazer um novo tratamento quimioterápico. Ela revelou que a doença não tinha voltado, mas que mais algumas sessões de quimioterapia seriam necessárias por prevenção. "Não estou doente", alertou. "Apenas continuo me tratando para poder ficar com vocês muito tempo ainda." A partir daí, frequentemente as gravações eram suspensas para Hebe tratar da saúde, o que obrigava a emissora a reprisar programas. Isso complicou o desempenho da atração na Rede TV!, e a situação desandou de vez quando o salário da apresentadora começou a atrasar. "Na verdade, passada a mágoa com Silvio Santos, o maior sonho dela era voltar para o SBT", revela Claudio.

No mesmo mês em que recomeçou o tratamento, o SBT realizou o 14º Teleton. Pela primeira vez, Hebe não fazia parte dele. Eliana foi a apresentadora. No primeiro dia de maratona, 21 de outubro, começou uma campanha na internet reivindicando a presença de Hebe no programa. No dia seguinte, a hashtag "VemHebe" era o assunto mais comentado no Twitter em todo o mundo. Hebe foi ao Teleton. Chegou ao SBT emocionada, no fim da tarde do dia 22, recebida por Ratinho e Celso Portiolli. Os cabelos não eram mais os que tinha mostrado no *Domingão do Faustão*: ela voltara a usar peruca. Mas estava animada. Ratinho gritava: "Rainha!" Portiolli complementava: "Madrinha!" E ela, tremendo, respondia: "Que saudade! Que saudade!"

Ela estava no palco quando Silvio Santos entrou para encerrar a maratona. Os dois passaram a comandar o palco para solicitar as últimas doações. Quando Hebe e Silvio se apresentavam juntos, o resultado era diversão. Desta vez não foi diferente. Eles atenderam a um telefonema do jogador Ronaldo Fenômeno, que anunciou uma doação de 150 mil reais à AACD. Em seguida, Ronaldo entrou na brincadeira na qual Hebe sempre insistia em receber um selinho de Silvio. E ele sempre negava. Ronaldo desafiou o dono do SBT a dar um selinho em Hebe. Em troca, ele aumentaria sua doação em cinquenta mil reais. Silvio desconversou.

— Então, posso anotar que você está doando 150 mil reais — Silvio tentou encerrar a conversa.

— Com selinho, pode anotar duzentos mil — reforçou Ronaldo.

— Dessa você não vai escapar — Hebe disse a Silvio.

— Eu dou cem reais para não dar — brincou Silvio.

— Eu dou 150 para dar — insistiu Hebe.

Silvio encerrou o leilão:

— Não. Eu não beijo qualquer uma.

Em dezembro, Hebe voltou ao Faustão, desta vez para entregar o troféu Mário Lago a Regina Duarte. Sem a mesma disposição do ano anterior, continuava de peruca e mostrava alguma dificuldade para se locomover.

Em março de 2012, Hebe não estava animada para comemorar o 83º aniversário. O comediante Tom Cavalcante, no entanto, que nasceu no mesmo dia 8, organizou uma festa para cinquenta pessoas e insistiu que ela comparecesse. "Vem que eu vou te dar um presente especial", garantiu. Ela chegou abatida, mas brincalhona. "Se o presente não for bom, eu volto agora para casa." O presente era a presença de Roberto Carlos entre os convidados. "Ela estava meio dispersa, mas se transformou durante a noite. Bebeu vinho, brindou com todo mundo", relata Tom. A noite, no entanto, não acabou bem. Hebe passou mal, precisou ser medicada, descansou na cama de Tom e saiu mais cedo da festa.

Três dias depois, foi internada para uma cirurgia de emergência na qual extraiu um tumor do intestino. Ficou onze dias no Albert Einstein. Sua saída do hospital foi transmitida ao vivo pela TV. Impecavelmente vestida e com as unhas tratadas, deu uma entrevista coletiva na porta do Einstein logo após receber alta, anunciando que estava entrando em licença médica, que a nova operação tinha sido bem "maior" que a anterior, mas que se sentia bem e esperava voltar ao ar em breve. Hebe acreditou, mais uma vez, que o câncer estivesse zerado.

Em junho, mostrou-se animada para ir a Miami assistir a um show de Roberto Carlos. Parecia que a doença tinha ido embora em definitivo. Mesmo assim, em vez dos dez dias habituais que costumava passar na Flórida, programou-se para uma estada de apenas seis dias. Foi em Miami que Helena percebeu que Hebe não estava se alimentando. "Mas eu comi uma banana", alegava, acreditando que fosse o suficiente. De volta ao Brasil, nova internação e nova operação, agora para extrair a vesícula. "A partir daí, foi uma cirurgia atrás da outra", lembra Helena.

Hebe ficou no hospital até agosto. Nesse período, Lolita Rodrigues telefonou para Claudio. "Sei que ela não quer receber ninguém, mas eu preciso ver a Hebe", insistiu. Foi aberta a exceção. "Ela estava derrubadinha, com um pijaminha bem simples e meia soquete", conta Lolita. A conversa entre as duas foi rápida. "Volta para a televisão, Lolita", Hebe pediu. "Voltar como, se velho não tem vez?", respondeu Lolita.

Lolita deixou com a amiga um bonequinho que representava um anjo tocando violino. "Esse anjinho é o Fego", ela disse. "Ele quer ficar contigo." Foi a última vez que as duas se encontraram.

"É DIFÍCIL TER APENAS UM CORAÇÃO"

Durante essa internação, também foi feito um acordo para que Silvio Santos telefonasse para Hebe. Na ligação, ele colocou o SBT à disposição da apresentadora e, melhor de tudo, convidou-a para retornar à sua emissora. Depois que desligou o telefone, Hebe ajoelhou-se no chão, abriu os braços e agradeceu: "Obrigada, meu Deus!"

Ainda em agosto, Hebe voltou para casa. Foi um período difícil, com acompanhamento de enfermeiros 24 horas por dia. Como não tinha apetite, sua alimentação era intravenosa. Tinha sempre uma agulha espetada no braço. Mas havia momentos agradáveis. No fim da tarde, quando Claudio, Marcello e Helena chegavam, todos se reuniam com Hebe no seu quarto, deitavam na sua cama e se divertiam vendo TV até a última novela. Foram poucas as visitas nessa fase. Hebe não queria mostrar sua fragilidade, e dava trabalho arrumá-la para aparecer bem penteada, bem-vestida e maquiada.

Uma dessas visitas foi da apresentadora Astrid Fontenelle. As duas tinham ficado amigas no começo da carreira de Astrid, na TV Gazeta. Na época, como fazia sempre que via na TV algo de que gostava, Hebe telefonou para a jovem jornalista. "Aqui é a Hebe Camargo", apresentou-se, antes de passar a lhe dar conselhos. Como cruzar as pernas, como descruzar as pernas, que tipo de penteado lhe caía bem. Com o passar do tempo, a confiança entre as duas só se solidificou. Houve um momento, durante o período na Rede TV!, em que Hebe perdeu a voz. Ela pediu a Claudio que convocasse Astrid para apresentar a atração a seu lado. "Para que isso? Para que expô-la desse jeito? Passa uma reprise", reagiu Astrid. Claudio insistiu, e Astrid acabou aceitando. "Quando começamos a gravar, ela tinha recuperado completamente a voz. Foi aí que eu vi o quanto ela precisava da televisão para sobreviver", conta a amiga.

Claudio chamou Astrid novamente. Agora, o pretexto era lhe oferecer um chá, uma desculpa para ver se Hebe comia alguma coisa. "Não adiantou. Ela não comeu nada. Mas a gente riu muito."

Outro visitante foi o maestro Eduardo Lages. Hebe gravou com ele um piloto do que poderia ser um programa de entrevistas para o YouTube. "Foi um dos momentos mais emocionantes da minha vida", disse o maestro em entrevista à revista *Caras*. "Eu estava totalmente assustado, não queria falar. Só queria curtir aquele momento com ela. Ela estava mais magrinha, mas estava mais linda do que nunca."

No dia 14, Hebe festejou o aniversário de Claudio. No dia 20, participou de um almoço que comemorava o aniversário de Marcello. Na terça-feira, dia 25, manifestou vontade de sair. Queria conhecer o shopping JK, que tinha sido inaugurado havia pouco tempo no bairro de Vila Olímpia. Hebe, Claudio, Marcello e Helena passaram a tarde lá. Hebe comprou sapatos novos na Miu Miu, depois o grupo todo tomou sorvete. E Hebe fez suas últimas fotos ao lado de fãs. Quatro dias depois, ela parou de lutar contra a doença. Morreu de parada cardíaca na manhã de sábado, dia 29 de setembro de 2012. Em quase todas as entrevistas que deu nos quase dois anos e dez meses em que esteve doente, ela sempre afirmou não temer esse momento. "Não tenho medo da morte", dizia. "Só tenho pena de deixar de viver."

POSFÁCIO

EU E HEBE

Não queria acabar este livro com a morte de Hebe. Uma mulher que celebrou tanto o prazer de viver não merece uma homenagem com um final triste. Hebe tinha o riso fácil, a gargalhada sempre por perto, a piada pronta. Eu tinha que escrever mais, mesmo depois de já ter escrito sobre sua morte.

Durante o ano e meio em que trabalhei na preparação desta biografia, convivi com alguns de seus parentes, entrevistei amigos, estive com gente que trabalhou com ela, mergulhei numa pesquisa que deixou poucos hiatos em sua trajetória. Foi o suficiente para conhecê-la? Para escrever este epílogo, revi minhas anotações em busca de uma definição da Hebe Camargo.

"Conheço muita gente nesse negócio. As pessoas babam ovo. Ela nunca foi de babar ovo de ninguém", disse Xuxa, o que me fez perceber que Hebe sempre encerrou mal seus contratos na televisão. Saiu da Record sentindo-se desprestigiada, saiu da

Tupi traumatizada, saiu da Bandeirantes reclamando, saiu do SBT magoada. Está explicado. Hebe não era de babar ovo.

O executivo da indústria fonográfica Marcelo Castello Branco, o homem que a trouxe de volta para o mundo da música, tentou me dizer como ela era. "Muito feliz, muito inteira, muito extravagante", resumiu. "O que ela fazia no sofá, ela fazia nos bastidores e, depois, no jantar. Isso era encantador."

Ah, os jantares com Hebe... Ana Maria Braga sintetizou o que acontecia. "A melhor coisa era sair com ela para jantar", já disse em entrevista. "Começamos a noite em uma mesa de duas e terminamos numa mesa de trinta." Essa elasticidade, que fazia sempre caber mais um na mesa de Hebe, tem a ver com um hábito lembrado por todos que conviveram com a apresentadora: ela era boa de copo. "Ela gostava de beber como pouca gente que eu conheço", me disse Xuxa. "Os caras iam tombando, e ela ali numa boa." Seu último diretor no SBT, Ariel Jacobowitz, comenta a impressão que ela causava nessas ocasiões: "Em qualquer lugar ela parava o ambiente. Em um boteco, em Dubai, na casa do Faustão, num jantar com executivos do Grammy... em dois segundos ela dominava o ambiente." Helena Caio resumiu: "Ela era superdivertida, era farrista, agregadora, brincalhona."

O jornalista Amaury Jr. tentou explicar a alegria que Hebe levava aos restaurantes. "Sempre admirei muito a capacidade etílica dela. Não é lenda", confidenciou ele. Amaury se lembra da ocasião em que levou de presente para Hebe um vidro de pimenta que comprara na rua 25 de Março, centro de comércio popular na cidade de São Paulo. Ela pediu pão. Pouco depois, ele no uísque, ela na vodca, já tinham consumido meio vidro da pimenta. "Eu já estava para lá de Bagdá quando ela veio com nova proposta: 'Agora vamos para a cerveja.'"

Hebe também era boa de garfo. E não apostava muito em comida sofisticada. Quando orientava o trabalho na cozinha de sua casa, era para degustar cardápios que incluíssem asa e pescoço de frango, miolo, língua, dobradinha e bife de fígado. A Churrascaria Rodeio, que ela gostava muito de frequentar, incluiu no cardápio um prato batizado com seu nome e com as características do que ela gostava de saborear. O Duo Hebe Camargo tem picanha e linguiça dinamite (bem apimentada) acompanhados de farofa picante.

Ela foi parar também no cardápio do A Bela Sintra, o restaurante português dos Jardins que era um de seus favoritos na região. É lá que ainda faz sucesso um prato de patinhas de caranguejo refogadas e depois cozidas num caldo com cebola, tomate, salsinha e azeite. São as Hebinhas, entrada predileta de Hebe antes até de as patinhas ganharem seu nome. "Sair com Hebe significava comer e beber bastante", lembrou Astrid Fontenelle. Ao chegar a qualquer restaurante, pedia uma versão de bloody mary que ela chamava de "blodão". "O blodão era um copo de água com muita vodca e algumas gotas de suco de tomate", conta Astrid.

Certa vez, Astrid foi assaltada e virou notícia na televisão. Hebe telefonou para ela, preocupada. A amiga explicou que o ladrão só tinha levado um relógio falsificado. No dia seguinte, Astrid recebeu de Hebe um Cartier verdadeiro. Foi desse episódio que Astrid se recordou quando pedi uma palavra que definisse Hebe. "Generosa", ela disse, para depois acrescentar: "E presenteadora."

Até ficar seriamente doente, Hebe só frequentava hospitais para fazer cirurgias plásticas. A descontração com que tratava desses assuntos surpreendia os que se aproximavam dela. Certa vez, o jornalista Ricardo Kotscho a entrevistava no camarim do SBT para completar uma reportagem para a *Época* sobre os cinquenta anos da televisão. A entrevista ainda não estava pronta quando ela teve que interromper a conversa para entrar em cena. Vendo a frustração do repórter, ela o consolou. "Não se preocupe. A gente continua depois no hospital", tranquilizou. "No hospital?", surpreendeu-se Kotscho. "É. Vou fazer uma lipo." E Kotscho passou a madrugada no Albert Einstein, entrevistando Hebe enquanto ela se preparava para ser submetida a uma lipoaspiração. Kotscho arriscaria uma palavra para definir Hebe? Ele não titubeia: "Cativante."

O apresentador Sergio Groisman é outro que encontrou a palavra certa. "Ela tinha uma coisa que eu tento buscar: naturalidade." E explica: "Se você reparar, em programas de auditório, as pessoas falam muito para a câmera. Ela fazia as duas coisas. Quando precisava se dirigir para espectadores que estavam em casa, ela olhava para a câmera. Quando entrevistava, ela olhava para você. Ela sempre teve essa naturalidade, e você ficava à vontade."

Hebe era boa de briga, como mostrou nos episódios com Walter Clark e Fafá de Belém. Mas era capaz de fazer as pazes também. "Era impossível ficar brigada com a Hebe. Ela era um sol", me disse Lolita Rodrigues. Fafá sabe disso. Não guarda nenhum rancor das vezes em que Hebe a acusou de malufar em Paris. E é até capaz de dar um depoimento admirando Hebe politicamente. "Ela assumiu uma bandeira de anticorrupção que foi muito importante", analisa Fafá. "Hoje, não vejo ninguém com a força dela, com a liberdade dela, porque Hebe podia tudo, até não se manifestar. Ela faz muita falta."

Houve a briga com Giba Um, personagem que aparece nos primeiros capítulos deste livro e, depois, desaparece. Giba se envolveu em negócios com Lelinho, o filho de Lélio, e se sentiu passado para trás. Como vingança, publicou uma nota cifrada em sua coluna social na qual levantava suspeitas sobre a honestidade do rapaz. A nota não revelava o nome de Lelinho, mas todos que conheciam o episódio sabiam de quem se tratava. Hebe não perdoou. Nunca mais falou com Giba Um.

Teve a briga com Ronnie Von. Quando saiu da Bandeirantes, Hebe soube que Ronnie tinha aceitado o convite para substituí-la. Ele diz que foi um mal-entendido, que não sabia da saída de Hebe e que apareceu na emissora acreditando que apareceria no programa dela. Ela deixou de lhe dirigir a palavra. Muitos anos depois, Hebe e Ronnie se cruzaram no trânsito paulistano. Quando Ronnie percebeu, ela estava gritando para ele: "Eu te amo!"

Fausto Silva, que conviveu com ela por quarenta anos, tentou desvendar sua alegria. "Será que o sorriso da Hebe não era uma armadura?", indagou. "Ela sempre usou o humor como autodefesa." Fausto admirava a amiga pelo que ela enfrentou no começo da carreira. "Ser artista não era de bom-tom. Ela sofreu todos os preconceitos", contou ele. "Ela e Dercy Gonçalves se adoravam porque eram muito parecidas. As duas passaram pelo submundo do preconceito e da humilhação."

Foi Xuxa quem me deu a melhor definição da personalidade de Hebe: "Era muita vida numa pessoa só."

Comecei este livro fazendo um brinde e o encerro fazendo outro. Quem é tão cheia de vidas merece mais de um brinde. Às vidas.

Agradecimentos

Ninguém escreve sozinho uma biografia. Às vezes, quem colabora nem se dá conta da importância de sua participação. Um número de telefone que estava difícil de conseguir, uma única frase perdida no meio de uma entrevista que durou duas horas, uma informação aparentemente irrelevante que se mostrou fundamental... São muitas as maneiras de se colaborar com uma biografia. Serei sempre grato a Agnaldo Rayol, Amaury Jr., Ariel Jacobowitz, Aristides Moreira Cardoso, Astrid Fontenelle, Augusto Nunes, Carlos Bettencourt, Christine Ajuz, Cidinha Campos, Claudio Pessutti, Conceição Molinaro, Cora Rónai, Daniel Castro, Dody Sirena, Edson Coelho, Eduardo Bakr, Eliana Pittman, Fafá de Belém, Fausto Silva, Flávia Schilling, Giba Um, Guto Graça Mello, Helena Caio, Hélio Vargas, Jô Soares, Jorge Bastos Moreno, José Mário Pereira, José Milton, Léa Penteado, Leão Lobo, Leiloca Neves, Leonor Teixeira, Lolita Rodrigues, Luciana

Mello, Manoel Carlos, Marcelo Castello Branco, Marcello Camargo, Mariana Timóteo, Marília Gabriel Arida, Otávio Mesquita, Patrícia Kogut, Paulo Caruso, Paulo Maluf, Rebeca Abravanel, Ricardo Kotscho, Rosa Maria Araújo, Sérgio Groisman, Silvia Rodrigues, Sílvia Venna, Tadeu Aguiar, Tom Cavalcante e Xuxa Meneghel. E a Paulo Severo, paciente e solidário nos momentos de estresse, quando imaginei que a tarefa jamais seria cumprida.

Mensagem de Marcello Camargo a sua mãe

Minha mãe amiga, eu te disse no ouvido e repito que o melhor presente que Deus me deu foi ter nascido seu filho. Eu tive o privilégio de ter a mãe que todo o Brasil gostaria de ter. Muito obrigado, Deus! Muito obrigado, minha Mãe! Te amo por toda a eternidade!
Seu filho,

Marcello

Mensagem de Claudio Pessutti a sua tia Hebe

Você tem em mãos o livro documento que registra a vida da mulher que fez do seu o maior nome feminino da história da televisão brasileira.

Desde os tempos dos sonhos com o sucesso na carreira artística, Hebe soube preservar os laços que uniam sua família. Com o passar dos anos ela aprendeu a imensa alegria de receber os amigos e convidados em seu programa, mas sempre abria o sorriso e os braços para juntar a família: as irmãs, os sobrinhos e os cunhados. Eu (que sou sobrinho, mas sempre fui tratado como filho) e Marcello fomos abençoados por ter essa mãe sempre por perto.

Devo tudo o que sou e conquistei a Hebe, foram mais de trinta anos de convivência diária que me mostraram como ser um ser humano melhor e levar a vida sempre com alegria. Ela sempre me incentivou e me encorajou, nos meus momentos de angústia e aflição era a ela que eu recorria para alívio. e até hoje sinto que ela continua me protegendo.

Como empresário sempre estive presente ao seu lado em todas as ocasiões, e minha missão será preservar sua imagem e mantê-la sempre viva.

Teria muito o que dizer da humanidade dela, mas isso o Artur Xexéo publicou em cada uma das páginas que compõem este livro.

Com amor, saudade e muita alegria,

Claudio Pessutti

Este livro foi composto na tipologia Minion Pro,
em corpo 12,5/17,3, impresso em papel off-white
no Sistema Cameron da Divisão Gráfica
da Distribuidora Record.